Wanda Chotomska

Legendy polskie

Wanda Chotomska
Legendy polskie

© by Wydawnictwo Literatura
© by Wanda Chotomska

Ilustracje: Małgorzata Flis

Korekta: Lidia Kowalczyk
Joanna Pijewska

**Wydanie I
w Wydawnictwie Literatura**

ISBN 978-83-7672-191-0

Wydawnictwo **Literatura**, Łódź 2012
91-334 Łódź, ul. Srebrna 41
handlowy@wyd-literatura.com.pl
tel. (42) 630 23 81
faks (42) 632 30 24
www.wyd-literatura.com.pl

Druk i oprawa: Rzeszowskie Zakłady Graficzne S.A.

Wanda Chotomska

Legendy polskie

ilustracje Małgorzata Flis

Legenda
o Lechu,
Czechu
i Rusie

W czasach, kiedy ludzie nie umieli pisać, kiedy nie liczono lat i nie zapisywano dat, wieści o tym, co się zdarzyło, przekazywano sobie z ust do ust. Najpierw mówili o nich naoczni świadkowie, a potem szły w świat – powtarzane z pokolenia na pokolenie, synom i wnukom przez ojców i dziadów.

Nazywano je „ustnymi podaniami" i niektórzy kronikarze umieszczali je później w swoich kronikach. Tak właśnie było z podaniem o Lechu, Czechu i Rusie. Trafili do kronik z informacją, że od nich zaczęły się przedhistoryczne dzieje naszych przodków – Lechitów i naszych sąsiadów – Czechów i Rusinów.

A potem różni autorzy zaczęli tworzyć o nich legendy. Może i ja spróbuję? Wiadomości w kronikach mało, tylko trzy imiona i jedna linijka tekstu – cienki sznureczek słów, ale postaram się go rozciągnąć, wydłużyć, zwinąć w kłębek opowieści i nie przerywając wątku potoczyć do rąk czytelników.

Więc było ich trzech. Lech, Czech i Rus. Bracia. Żyli w słowiańskiej osadzie zagubionej w ogromnych lasach. Tam się urodzili. W środku wielkiej kniei. W gęstwinie nieprzebytej puszczy. Nieprzebyta – bo nie było człowieka, który by ją całą przebył, przedarł się przez gąszcz krzewów, chruśniaki i maliniaki, pokonał omszałe pnie zwalonych drzew i zieloną ścianę tych, które koronami sięgały nieba – sosen i świerków, buków, jaworów i dębów.

Dęby były najważniejsze. Najstarszy górował nad osadą. Był wielki i święty. I źródło, które tryskało spod dębu, było święte. I koń, biały koń, który pasł się w cieniu dębowych konarów i pił wodę ze źródła, też był święty.

– Bogu o czterech twarzach poświęcony. Świętowitowi, co w cztery strony świata cztery oblicza obraca – mówił stary Kapłan, a Lech, Czech i Rus potakiwali.

Wiedzieli, że Świętowit jest największym bogiem spośród wszystkich słowiańskich bóstw, a Kapłan – naj-

mądrzejszym człowiekiem w całej osadzie. Na wszystkim się znał. Na ludziach, zwierzętach, roślinach. Umiał leczyć ciała i dusze, z roślin przyrządzał leki, ze znaków na ziemi i niebie – z gwiazd, z lotu ptaków, z wiatru i dymu – wróżył przyszłość, objaśniał sny. Te, które mieli dorośli, i te, które śniły się chłopakom.

Lechowi i jego braciom od dzieciństwa śniły się konie.

– Mój był wrony – zwierzał się staremu Kapłanowi Czech.

– Mój też wrony – potwierdzał Rus.

– A mój gniady, kasztanowy, złoty taki – uśmiechał się Lech. – I jechałem na nim, pędziłem, leciałem nad puszczą i goniłem białe obłoki…

Wyśniły im się te konie. Kapłan powiedział, że się wyśnią i wyśniły się. Kiedy podrośli – każdy dostał od ojca źrebaka. Rus i Czech – czarne, a Lech – gniadego. I każdy sam się o swojego konika musiał troszczyć. Karmić go i poić, czesać i oporządzać, żeby koń miał czysto i sam był czysty.

Pięknie o te swoje koniki dbali. A stary Kapłan tylko się przyglądał i uśmiechał. Aż pewnego dnia powiedział:

– Jest was trzech i macie trzy konie. W trzy strony świata rozjedziecie się na nich. Trzy konie – na trzy strony, a świat ma cztery. Jak Świętowit o czterech obliczach. Żeby do niego dotrzeć – jeszcze jeden koń potrzebny.

I pokazał im źrebaka. Białego jak mleko, jak śnieg i jak obłoki, które w swoich dziecinnych snach gonił Lech.

– To dar dla Świętowita. I sam jest święty. Pilnujcie, żeby nie dotknęła go żadna obca ręka, żeby żaden bezbożnik nie wyrwał ani jednego włosa z jego ogona i grzywy. Kiedy niebo da znak, odprowadzicie go do Północnego Grodu. Do wielkiej świątyni.

– A jaki to będzie znak? – zapytał Lech.

– Świętowit was zawoła. Spojrzy i niebo stanie w płomieniach. Zagrzmi i Biały Koń zrozumie. Na grzmot odpowie rżeniem i ruszy w stronę świątyni. A wy, na koniach, za nim – odpowiedział Kapłan. – Na północ, ciągle na północ.

Przez całą drogę powtarzali sobie potem te słowa. W dzień sprawdzali kierunek jazdy po mchu porastającym pnie drzew od północnej strony, w nocy patrzyli na gwiazdy i cieszyli się, że stary Kapłan tylu rzeczy ich nauczył, i dziwili, że Biały Koń nigdy nie mylił drogi. Może i on nauczył się od Kapłana? A może Świętowit mu podpowiada?

– Słyszy to, czego ludzie nie słyszą – mówili, patrząc jak Koń strzyże uszami, jak czegoś nasłuchuje, jak na coś, czego oni nie słyszą, odpowiada nagłym rżeniem.

Cały czas ich prowadził. A kiedy szedł – las się przed nim rozstępował, krzewy kłaniały się nisko, a leśne jeziorka podsuwały swoje lusterka, żeby mógł się w nich przejrzeć, zobaczyć, jaki jest piękny.

Kapłani w Północnym Grodzie też powiedzieli, że piękny.

– Dar godny Świętowita! – orzekł Najstarszy.

A młodsi, przywiązawszy do ogrodzenia konie Lecha, Czecha i Rusa, pozwolili trzem braciom wejść do wnętrza świątyni. Przed ogromny, sięgający stropu posąg Świętowita. Przed jego wielką postać z głową o czterech obliczach.

Biały Koń już tam był. Prowadzony przez Najstarszego Kapłana okrążał posąg raz, drugi, trzeci. Kapłani szli za nim, modlili się, mruczeli coś niezrozumiale. W jakiejś chwili jeden z nich, mijając trzech braci, zatrzymał się przy nich i szepnął:

– Świętowit przyjmuje dar. Schylcie głowy, prędko się ukłońcie, zaraz przemówi.

I usłyszeli głos. Cała świątynia wypełniła się tym głosem:

– Na Białym Koniu wyruszę w bój
w obronie wiary,
a ci, co Konia przywiedli tu,
niech przyjmą dary.

– Bierzcie – zwrócił się do nich Najstarszy Kapłan, wręczając trzy topory. Ciężkie, żelazne topory o szerokich ostrzach mocno osadzone na drzewcach. I wręczając dar, powiedział: – Teraz ruszycie na wschód. Tam, gdzie budzi się nowy dzień. Gdzie słońce wstaje. Dla was też przyjdą nowe dni. Nie wrócicie do rodzinnej osady. Założycie trzy nowe. Taka jest wola Świętowita. Dlatego dał wam topory. Do walki i do pracy. Do obrony przed wrogiem i budowania nowego życia. A teraz przyjmijcie sakiewki.

Trzej bracia pochylili głowy, trzech kapłanów założyło im na szyje małe, skórzane sakiewki na długich rzemykach.

– W każdej z nich ukryty jest znak. Tajny znak. Nie wolno go pokazywać nikomu. Będzie go znał tylko ten, kto nosi sakiewkę na sercu.

Zajrzeli do sakiewek.

W mojej jest pióro… – zdziwił się Lech. W milczeniu, bez słowa, żeby nie zdradzić tajemnicy.

I zaraz rozległ się głos Świętowita:

– Jak świat ma cztery strony,
a ja – cztery twarze,
jedno miejsce na ziemi
znak każdemu wskaże…

– W drogę! – krzyknęli kapłani. – Na koń! W imię Świętowita w drogę!

– W imię Świętowita! – odkrzyknęli Lech, Czech i Rus i wskoczywszy na konie, ruszyli przed siebie.

A każdy sprawdzał co chwila, czy nie zgubił sakiewki z tajemnym znakiem i myślał – jakie miejsce przeznaczył mu Świętowit i który z nich pierwszy na swoje miejsce trafi.

I tak się zdarzyło, że pierwszy był Lech. Na leśnej polanie znalazł białe pióro. Takie samo jak to, które miał w sakiewce. Leżało w pobliżu drzewa, grubego, rozłożystego dębu, na dębie było gniazdo, a nad gniazdem krążył biały ptak. Orzeł.

– To tu! – zrozumiał Lech i wskazując braciom orła, powiedział: – Tu jest moje miejsce. Tutaj zostanę pod skrzydłami białego ptaka. Wy pojedziecie dalej, a ja zbuduję tutaj gród. I nadam mu imię – Gniezno. Bo tu, gdzie orzeł ma swoje gniazdo, będzie i moje.

Nie wiem, czy naprawdę tak powiedział. Ale wiem, że Biały Orzeł jest godłem naszego państwa, a Gniezno było pierwszą stolicą Polski i siedzibą pierwszego polskiego władcy – Mieszka. I że w słowach kryją się tajemnice przeszłości.

O nazwie miasta uczeni mówią różnie. Jedni – że Gniezno wywodzi się od gniazda, inni – że od kniazia. Gniezno – kniezno – gród kniazia…

A może obydwa słowa połączyły się w jedno? Może to i od gniazda, w którym zagnieździł się orzeł, i od kniazia – księcia, który miał na imię Lech? Bo to jest pewne, że tak właśnie miał na imię. Tak zapisane jest w starych kronikach. Nazywał się Lech i miał dwóch braci – Czecha i Rusa.

Legenda o Popielu i Mysiej Wieży

Solne grudy nazywano dawniej kruszami. A sól, zanim nauczono się wydobywać ją w kopalni, brano z solanek. Stała tam w zagłębieniach ziemi. Ciurkała spod ziemi w wodzie rozpuszczona i gromadziła się na powierzchni w płytkich zagłębieniach. Kiedy wodę podgrzano – „warzono", jak mówili ludzie – płyn wyparowywał i zostawały solne grudy. Te krusze właśnie. I od nich wywodzi się nazwa Kruszwica.

Kruszwica leży nad Gopłem, jednym z największych polskich jezior. W jeziorze woda jest słodka. A solanek w okolicy coraz mniej. Za czasów Popiela na pewno było więcej.

Bo Popiel mieszkał właśnie tu – w Kruszwicy. Miał dwór, poddanych. Był władcą. Ostatnim w głównej linii rodu Popielidów. Popielidzi nie byli biedni. Należały do nich żyzne ziemie, lasy pełne zwierzyny, rybne jeziora, mieli konie i trzodę. Ich rzemieślnicy z lnu i futer robili odzież, z gliny wypalali naczynia. Z soli też czerpali korzyści. Krusze zastępowały pieniądze, płacono nimi za różne towary.

Do dziś przetrwały powiedzenia – „słona cena" i „słono za coś zapłacił". Od tej soli właśnie. Ciekawe, za co tak słono płacił Popiel? Co kupował od kupców wędrujących przez słowiańskie ziemie na północ po bursztyny? Broń? Piękne przedmioty? Wyroby ze srebra i złota? A może kupował trunki – miód, piwo, beczki wina?

Tak, wino kupował na pewno. Bo w legendach, które później o nim opowiadano, zawsze powtarzają się słowa – hulaka, pijak…

– U Popiela wina wiela! – cieszyli się proszeni i nieproszeni goście, których zawsze pełno było na dworze. Jedli, pili, tańczyli, urządzali gonitwy. Z łukami polowali na jelenie, z oszczepem – na niedźwiedzie.

A Popiel z coraz większą trudnością wstawał od stołu, coraz bardziej ciążyła mu po przepiciu głowa i coraz lżejsza stawała się królewska szkatuła. Czerpał

z niej pełną garścią. A jego żona – dwiema. Wszystkie kobiety chciała zaćmić ubiorem, wszystkich mężczyzn olśnić urodą. Każdego dnia ubierała się w inne stroje i dobierała inne ozdoby. Naszyjniki plecione ze srebrnych i złotych drutów, pierścienie i zausznice, kolie ze szklanych paciorków.

A na wonne olejki wydawała chyba jeszcze więcej niż Popiel na wino. Kupcy ciągle musieli jej przywozić nowe pachnidła. Cedrowe i lawendowe olejki, wody pachnące kwiatami, jakich nad Gopłem nigdy nie widziano, z krain, o których w Kruszwicy nikt nie słyszał. Z południa, ze wschodu. Z najdalszych dali. Z miejsc, gdzie żyły smoki, potwory i czarownice. Syreny i zwodnice.

O żonie Popiela też mówiono: „zwodnica"… Słudzy tak szeptali:

– Nie wiadomo, skąd się wzięła… Raz mówi, że jest niemiecką księżniczką, drugi – że ją Wikingowie zza morza przywieźli… A tak się stroi, przebiera, że co dzień inna. Rozeznać się nie można. Czar na Popiela rzuciła i tylko jej zabawy w głowie. A on na wszystko pozwala. Bo pijany. To ona go rozpiła, to ona wina mu ciągle dolewa. Pijanego łatwiej omamić. Omamiła go, mamuna jedna…

I chociaż słudzy mówili szeptem, wiadomości z Kruszwicy rozchodziły się coraz szerzej i dalej. Aż dotarły do rodziny Popiela. Do jego krewnych z rodu Myszeidów. Może dlatego tak się nazywali, że mieszkali na Kurpiach w okolicach Myszyńca?

A krewni zwołali naradę i najstarszy powiedział:

– Trzeba ratować, co jeszcze się da. Popiel przepija majątek. Jesteśmy rodziną, a nasz kuzyn nie ma przecież dzieci…

– No właśnie – przytaknęli pozostali. – Dzieci nie ma, bo ta jego zwodnica obiecała mu syna urodzić, a żadnego potomka nie dała. Więc jak umrze, cały majątek będzie nasz!

I wszyscy razem postanowili:

– Jedziemy do Kruszwicy. Popielowi trzeba odebrać władzę. Nie czekać, aż wszystko roztrwoni. Na miejscu zdecydujemy, co robić.

Ale żona Popiela była szybsza. Kiedy krewni przybyli do Kruszwicy, zorientowała się, o co chodzi i czym prędzej zaprosiła ich na ucztę. Stół uginał się od jedzenia. A ona przy nim królowała.

– Proszę, proszę, jedzcie i pijcie – zachęcała gości, podsuwając im pachnące dymem i ziołami różnorakie mięsiwa i napełniając puchary winem.

Niczego nie przewidywali. Olśnieni przepychem stroju gospodyni, podziwiali jej szaty i klejnoty – wielkie, do ramion zwisające zausznice, naszyjniki i pierścienie, nie mając pojęcia, że w jednym z nich ukryta jest trucizna.

Pierścień był gruby, ciężki, spleciony ze złotego węża. Wąż owijał się wokół wskazującego palca, świecił rubinowym okiem, a kiedy kciukiem nacisnęło się koniec jego ogona, wysuwał się z wężowego pyszczka język gada. Cienki, ostry i wypełniony jadem. Trucizną, której każda kropla oznaczała śmierć.

Kupiec, który z dalekich krain pierścień przywiózł, mówił, że związana jest z nim jeszcze jedna tajemnica – złoty wąż potrafi nie tylko zabijać swoje ofiary, ale także przemieniać zabitych w zwierzęta.

– W jakie? – zainteresowała się żona Popiela.

– W jakie tylko się chce – zapewnił kupiec. – Wystarczy w chwili ukłucia głośno wypowiedzieć nazwę zwierzęcia i ofiara zaraz się w nie zamieni. Można mieć z tego niezły zysk.

Spróbuję… – pomyślała żona Popiela i nim kupiec zdążył się zorientować, dźgnęła go wężowym językiem, wykrzykując pierwsze słowo, jakie jej przyszło do głowy: – Gawron!

Była pewna, że kupiec przemieniony w ptaka natychmiast odleci, a ona zyska za darmo pierścień. Ale się przeliczyła. Za pierścień, co prawda, nie zapłaciła, ale gawron wcale nie zamierzał odlecieć. Zadomowił się w Kruszwicy na dobre i doprowadzał wszystkich do szału bezustannym krakaniem:

– Kra… kra!

A najgłośniej krakał na widok żony Popiela, jakby chciał wszystkim oznajmić, że pierścień na jej dłoni jest:

– Kra… kra… kradziony! Bo go złodziejka-kradziejka kra… kra… ukradła!

Nie cierpiała tego gawrona i robiła wszystko, żeby się go pozbyć – przegonić albo zabić. Nic z tego. Przegonić się nie dawał, a zabić też go nie było można, bo raz zabitego nie można przecież zabić po raz drugi.

Pomna tych doświadczeń, z krewnymi Popiela postanowiła rozprawić się w sposób ostateczny – nie próbować żadnych przemian w zwierzęta, tylko od razu otruć. Jednocześnie, wszystkich razem. Czekała tylko na odpowiednią chwilę. Na moment, kiedy Popiel powie:

– Nalej wina, niewiasto…

Tak właśnie, jak się z nim przed ucztą umówiła. A ona, napełniając puchary kuzynów, miała wtedy wstrzyknąć do każdego kroplę trucizny z pierścienia.

– Później – cieszyła się żona Popiela – Popiel wzniesie toast za zdrowie gości, wszyscy podniosą puchary i…

Nie mogła się doczekać tego „i"… Chwili, w której ona i mąż pozbędą się wszystkich krewnych.

Myszeidzi przyjechali na koniach – myślała. – Kiedy trucizna zadziała, konie będą nasze. I białe płaszcze, w których przybyli, rzeczy, które przywieźli. Przyjechali, żeby pozbyć się Popiela i mnie. A to my pozbędziemy się ich. My odziedziczymy ich majątki…

Nie mogła się doczekać tej chwili. Słów, od których wszystko się zacznie: „Nalej wina, niewiasto…".

Ale Popiel milczał. Sam nalewał wina gościom, a najpierw zawsze sobie, i kiwał się nad stołem coraz bardziej pijany i senny. Ożywił się dopiero wtedy, kiedy wyjęła mu pusty puchar z rąk i powiedziała:

– Naleję nowego wina. Jeszcze lepszego. Najlepszym wypijamy zdrowie gości.

Wlała trochę wina do pucharu męża, podała mu, żeby spróbował. Kiwnął głową, że dobre. Wtedy zmieniła kielichy gościom i napełniła je nowym winem. I do każdego wpuściła niepostrzeżenie kroplę trucizny.

Usiadła obok Popiela.

– Mów… – syknęła mu do ucha.

Wybełkotał coś niezrozumiale. Szturchnęła go łokciem.

– Mów! Ja ci podpowiem… W górę puchary…

– W górę puchary… – powtórzył bełkotliwie Popiel.

Ale kielich podniósł. A goście za nim.

– W wasze ręce, kuzyni. Piję za zdrowie moich krewnych Myszeidów… – podpowiadała szeptem żona.

Przedobrzyła. Zdanie dla pijanego Popiela było stanowczo za długie. Słowa się pokręciły, język zaplątał i zamiast „Myszeidów" powiedział: „myszy"…

– Na zdrowie! – krzyknęli Myszeidzi.

I wypili. I to był ostatni łyk wina w ich życiu, i ostatnie słowa, jakie wypowiedzieli. Potem skurczyli się, wydali z siebie jakiś dziwny odgłos:

– Piii… – zapiszczeli jak myszy.

Ich białe płaszcze zamieniły się w ogoniaste mysie futerka, wąsate twarze – w białe, mysie pyszczki…

– Białe myszy! – wrzasnął Popiel.

I rzucił się do ucieczki. A myszy za nim.

Co było dalej – wiadomo. Goniły go aż na czubek wieży, która teraz nosi nazwę Mysiej. I tam zagryzły.

A co z żoną Popiela? Jedni mówią, że w czasie ucieczki sama zakłuła się wężową trucizną, inni – że pomógł jej w tym gawron i myszy.

O myszach też zresztą mówią różnie – że w Kruszwicy nie było żadnych Myszeidów, że to wszystko oma-

my i zwidy. Koszmary pijanego Popiela, który dostał białej gorączki i wszędzie widział białe myszy. Wielkie, białe myszy, które wylęgły się w jego chorej wyobraźni. Myszy, przed którymi uciekł na wieżę i skoczył z niej do Gopła.

Kto wie – może tak naprawdę było?

Legenda o Piaście i postrzyżynach jego syna Siemowita

iektórzy mówią, że syn Piasta nazywał się Ziemowit i wywodzą to imię od słowa – ziemia. Ale kronikarze piszą – Siemowit, a uczeni tłumaczą:

– Niewykluczone, że imię pochodzi od starosłowiańskiej nazwy – ziemia, oznaczającej rodzinę.

Rodzinę miał Siemowit nieliczną – ojca Piasta, matkę Rzepichę i chyba żadnego rodzeństwa. W każdym razie Gall Anonim o tym nie wspomina, a Gall to właśnie ten pierwszy, który przekazał nam na piśmie legendę o Siemowicie.

Był zakonnikiem z zakonu benedyktynów, pisarzem zatrudnionym w kancelarii króla Bolesława Krzywoustego i legendę o królewskich przodkach, krążącą między ludźmi od wielu pokoleń, włączył do swoich kronik.

O sobie Gall nie przekazał żadnych informacji. Nawet swego imienia nam nie zostawił.

Gall Anonim – pisali o nim jego następcy.

Gall – od miejsca pochodzenia, wielkiej krainy, która obejmowała również tereny dzisiejszej Francji i nosiła nazwę Galii, i Anonim – skrót od łacińskiego słowa *anonimus* – bezimienny.

Gall pisał po łacinie. Powód, dla którego włączył legendę do kronik, był prosty – pisząc o Krzywoustym nie mógł pominąć jego przodków, rodu, z którego król się wywodził.

– Z dynastii Piastów – mówiono o królu, ale historia żadnego Piasta nie zanotowała.

Gall musiał sięgnąć do legendy. Przepytywał królewskich dworzan, śladem ich słów cofał się w pradzieje, ustalał kolejność, do korowodu królewskich przodków dopisywał następne imiona:

Przed Mieszkiem I był Siemomysł, syn Lestka, Lestek był synem Siemowita… Ciepło, ciepło, gorąco –

uff, nareszcie! Jest Piast! Legendarny założyciel dynastii – Piast ojciec Siemowita! Teraz można już do kronik włączyć legendę – pomyślał Gall i gęsim piórem wypisał na pergaminie łaciński tytuł: *De duce Samowithay, qui dicitur Semouth, filio Past...* – co na polski przetłumaczono później tak – „O księciu Samowitaj, zwanym Siemowitem, synu Piasta".

Samowitaj – jak ładnie! I pomyśleć, jak się musiał nagimnastykować biedny Gall, próbując odtworzyć łacińską pisownią brzmienie słowiańskich imion – Samowitaj, Siemowit, Piast...

Według Galla Piast był ubogim chłopem spod Gniezna. Mieszkał na ziemiach należących do księcia Popiela i żeby zbudować na nich własne gospodarstwo, musiał zaciągnąć u pana pożyczkę, spłacając ją ciężką pracą.

Późniejsi kronikarze dodali mu jeszcze zawód – kołodzieja. Może dlatego, że jego imię skojarzyło im się z kołem?

Piasta – to centralna część koła, ta, która styka się z osią, więc Piast może pochodzić od piasty, tak jak kołodziej od koła. Ten, który robi koła.

Niewiele ich chyba zrobił Piast. Na duże koła do wozów nie było wielu chętnych, bo wozy mieli tylko bogaci, a tych w sąsiedztwie nie było. Najbliższą okolicę zamieszkiwali tacy sami biedacy jak on. Chyba że robił koła dla Popiela, spłacając w ten sposób swój dług.

A za darmo – strugał pewnie małe, drewniane kółka dla miejscowej dzieciarni. Jego syn też miał takie kółko. Latał z nim po obejściu, boso, w lnianej, utkanej przez matkę koszuli, z włosów bardziej do dziewczynki niż do chłopca podobny, i wykrzykiwał wesoło:

– Wiśta! Wiśta wio!

W woźnicę się bawił. Zdawało mu się, że ma konia i duży, mocny wóz na prawdziwych kołach.

– Niech się bawi – mówiła Rzepicha. – Tyle jego, co tej zabawy.

I głaskała synka po głowie. A Piast, patrząc na jego długie włosy, wzdychał:

– Chłopak jest coraz większy. Niedługo przyjdzie czas na postrzyżyny. Gości trzeba będzie zaprosić.

– Zacznie się dla niego męski wiek… – westchnęła Rzepicha.

– Postrzyżyny? – zdziwił się Siemowit, bo pierwszy raz usłyszał to słowo.

– Włosy ci ostrzygą – wyjaśnił ojciec. – Żebyś wyglądał jak chłopak. Spod opieki matki przejdziesz pod moją. Będziesz pomagał mi w gospodarstwie, siał, orał.

– Będę! – ucieszył się Siemowit.

– Nie spiesz się – przytuliła go matka. – Praca na roli ciężka, a ty jeszcze mały.

– Duży! – sprzeciwił się Siemowit.

– A widziałeś, co ta robota z ojca zrobiła? Jak się postarzał, przygarbił z tej harówki. Konia nie mamy, drewno na opał na własnym grzbiecie ojciec z lasu nosi, żeby pole zaorać sam musi ciągnąć sochę… Ciebie to samo czeka. Więc lepiej pobaw się jeszcze przy mnie. A z postrzyżynami i tak musimy zaczekać. Gości trzeba zaprosić, a w domu pusto. Nie ma co podać na stół.

– Może po żniwach? – zastanowił się Piast. – Ziarno się zmiele, upieczesz placek, ja nałowię ryb, pszczołom podbiorę z barci trochę miodu…

Oby się udało – pomyślała Rzepicha.

Nie udało się. Lato było zimne, mokre, zboże pokładło się na polu, zaczęło gnić.

– Choruje – mówi Piast. – Wszystko dokoła choruje.

Jego też złożyła choroba. Był tak słaby, że do żniw poszła Rzepicha. I Siemowit. Ale co to były za żniwa. Mało co udało się uratować. Siemowit we wszystkim próbował teraz ojca zastąpić. Rąbał drewno na opał, nosił wodę. Nawet po miód się do lasu wybrał. Niewiele co prawda przyniósł i pszczoły go pożądliły, ale kiedy matka użalała się nad nim, machnął lekceważąco ręką:

– Nic to! – powiedział. – Nie ma o czym gadać.

I oznajmił, że następnego dnia pójdzie na ryby.

– Bez postrzyżyn przeszedł w męski wiek – westchnęła Rzepicha.

– Gości nie zaprosimy, ale włosy trzeba mu jednak ściąć – powiedział ojciec i oboje z matką zdecydowali: – Sami mu te postrzyżyny urządzimy. Upiecze się placek, mamy miód, chłopak przyniesie ryby…

Jedną tylko przyniósł.

– Nie martw się – pocieszył go ojciec. – Na drugi raz złowisz więcej. A teraz skocz po drewno, żeby było na czym upiec rybę i placek.

– Tylko nie bierz za dużo drewek naraz – zatroskała się matka.

Gdzie tam! Siemowit nałożył sobie na ręce taką stertę szczap, że nic spoza niej nie widział. Nagle…

– Witaj, chłopcze! – usłyszał czyjś głos. Nie – nawet dwa głosy…

– Witajcie! – rozłożył ręce do powitania.

Buch! – posypały się szczapki na ziemię i Siemowit zobaczył dwóch nieznajomych. Stali przed nim oparci na kijach, płaszcze mieli długie, z kapturami. Wędrowcy.

– Ładnie się witasz – uśmiechnął się do chłopca jeden z nich. – Sam się tak nauczyłeś?

– Jak sam, to może ty się nazywasz Samowitaj? – zażartował drugi.

– Nie – pokręcił głową i przedstawił się – Siemowit jestem. Dzisiaj mam postrzyżyny!

– Aleśmy dobrze trafili!

– Nie wiem, czy dobrze… – stropił się Siemowit. – Ojciec chory, ja tylko jedną rybę złowiłem. Ale jak zaraz polecę nad jezioro, może uda mi się złowić więcej.

– Stój! – zatrzymali go wędrowcy.

A Rzepicha wołała już od drzwi:

– Proszę, proszę, zapraszam! Proszę się rozgościć i przy stole siadać. Chata nie bogata, ale gościom rada!

Weszli, przywitali się z Piastem, usiedli.

– Syn mówił, że chorujecie. Nie martwcie się. Będzie dobrze. A chłopaka macie mądrego. Udał się. I postrzyżyny się udadzą. Patrzcie, co za traf! Z Kruszwicy idziemy, od Popiela. Tam też była uczta. A wina, mięsiwa tyle, że się stoły uginały!

– A u nas tylko ryba, placek i miód… – westchnął Piast.

– Ale wyście nas zaprosili do stołu, a Popiel nie. Wygnał i jeszcze psami poszczuł. Płaszcze nam poszarpały.

– Rzepicha naprawi – zapewnił Piast.

A ona zdążyła już rozpalić ogień, zaczyniła ciasto, skrobała rybę. Syna od pomocy odgoniła.

– Do postrzyżyn się przyszykuj! Umyj się i wdziej czystą koszulę!

Wędrowcy go ostrzygli. Wszyscy dokoła stali, on jeden siedział.

– Jak król! – stwierdził ojciec.

– Nawet koronę mam! – zawołał Siemowit, bo jeden z wędrowców, żeby włosy równo przyciąć, włożył chłopcu na głowę garnek. Wzdłuż garnka cięli. Równo przy brzegach. I razem powiedzieli do Siemowita:

– Może i prawdziwą koronę będziesz miał?

– Jak to? – zdziwił się chłopak. I nic więcej nie mógł już powiedzieć, bo ze zdziwienia oniemiał.

Stół uginał się od jedzenia! Jeden placek rozmnożył się w stertę! Jedna ryba – w dziesięć! I mięso było. I ciasta! I owoce!

Nie wiadomo, jak to się stało. Ale tak właśnie było.

A potem wszyscy siedzieli przy stole, jedli, pili, weselili się i wołali:

– Razem z gośćmi do domu Piasta weszła dobra nowina. Siemowit zostanie księciem!

Czy został? Wróćmy jeszcze raz do Galla Anonima. I legendę o postrzyżynach Siemowita zakończmy jego słowami:

„Po tym wszystkim młody Siemowit, syn Piasta, wzrastał w siły i lata, i z dnia na dzień postępował, i rósł w zacności do tego stopnia, że król królów i książę książąt za powszechną zgodą ustanowił go księciem Polski".

Legenda o Smoku ze Smoczej Jamy

Ludzie mówią, że Kraków wywodzi swoją nazwę od Kraka, króla, co pod wawelskim wzgórzem gród nad Wisłą założył, a imię Krak ma ptasi rodowód, bo krukom je zawdzięcza. Widocznie sporo ich tam nad Wisłą było i kiedy nadwiślańskie plemię władcę z grona swojego wybierało, i wszyscy zastanawiali się, jakie imię mu nadać, kruki czarną gromadą nadleciały i tak głośno:

– Kra… kra! – krakały, że ludzie od razu się zgodzili:

– Krak! Krak! Niech będzie Krak! Wiwat, król Krak Pierwszy!

A może nawet któryś z tych kruków był oswojony? Może siedział na ramieniu wybrańca i najgłośniej ze wszystkich: „Kra, kra!" – wrzeszczał, kiedy królowi imię nadawano?

Każdy król dostawał jakieś imię. Albo nawet imię i przydomek. Imię na chrzcie, a przydomek później – jak niektórzy królowie, co w dawnej Polsce panowali. Taki Władysław Łokietek na przykład – Władysław miał od chrztu, a „Łokietkiem" nazwano go od ówczesnej miary – łokcia, ponieważ był to król bardzo małego wzrostu. Albo syn jego – Kazimierz Wielki – przydomek zawdzięczał nie tylko wzrostowi, lecz także swoim zasługom. Tyle w Polsce zbudował, że mówiono: „Zastał Polskę drewnianą, a zostawił murowaną".

Wiemy o tym od dziejopisów, którzy w swoich kronikach wszystko opisali i datami udokumentowali.

Ale w czasach króla Kraka, w kraju nad Wisłą, nikomu ani o chrzcie, ani o pisaniu jeszcze się nie śniło, więc żadne fakty i daty nie zostały zanotowane. O jego panowaniu wiemy tylko to, co nam nie historia, ale legenda przekazała. A z legendami – wiadomo, jak bywa. Ludzie mówią, powtarzają, ktoś nie dosłyszy, przekręci, doda coś od siebie…

Więc może i my dodamy od siebie tego oswojonego kruka? Niech siedzi na ramieniu Kraka i kracze, podpowiada do ucha:

– Kra, kra… Kraina dokoła piękna, ale ludziom domy potrzebne. Załóż gród, Kraku. Zbuduj Kraków!

Taki był początek. Pod wawelskim wzgórzem powstał gród, a na wzgórzu królewski zamek. Legenda zawsze mówi o Kraku – król, a o jego siedzibie – zamek, choć tak naprawdę ani zamków nie umiano jeszcze w owych czasach nad Wisłą budować, ani Krak nie był królem. Co najwyżej – księciem czy kniaziem, władcą plemienia Wiślan. Ale skoro w legendzie jest król i zamek, to i my będziemy tak mówili.

Pod rządami Kraka ludziom początkowo żyło się dobrze – gród tętnił życiem, jego mieszkańcy zajmowali się handlem, rzemiosłem, na nadwiślańskich błoniach wypasali stada owiec i baranów. Na świat przychodziły dzieci, przybywało mieszkańców.

Król też się ożenił, urodziły mu się córki. Na pewno córki. O synach żadna legenda nie wspomina, a córki były chyba dwie. Krakowski kronikarz Wincenty Kadłubek w swojej *Kronice polskiej* zanotował podanie o córce Kraka – Wandzie, która skoczyła do Wisły, bo nie chciała wyjść za Niemca, a bohaterka naszej legendy do Wisły na pewno nie skakała i spokojnie wyszła za mąż.

No, może niezupełnie spokojnie, ale nie zajmujmy się na razie Kadłubkiem i Wandą, bo sprawy i tak nie rozstrzygniemy, tylko wracajmy do naszych baranów. I owiec, które wypasali poddani króla. Bo w królestwie

Kraka coś się zaczęło psuć. Owce ginęły z pastwisk, a siedzący na królewskim ramieniu kruk coraz częściej krakał:

– Kra… kra!

– Kradzież… – domyślali się poddani. – Kruk o kradzieży kracze. Ktoś kradnie nasze owce! Złodziej się na pastwisko ukradkiem w nocy zakrada, zbój jakiś co owce porywa! Za kraty by go trzeba wsadzić!

A inni, patrząc ponuro na siebie, spluwali przez ramię i szeptali jeden do drugiego:

– Żeby nam tylko ten kruk większego nieszczęścia nie wykrakał…

Ale wykrakał. Oprócz owiec zaczęły ginąć dziewczyny – w grocie pod wawelskim wzgórzem zamieszkał Smok. Nie wiadomo, skąd się tam wziął. Jedni mówili, że z gór Wisłą przypłynął, inni, że z dołu, z piekielnych czeluści, podziemnymi lochami na wierzch się wygramolił. W grocie siedzi, ogniem zionie i jak tylko obok groty pojawi się jakaś panna – to już po niej.

Ludzi ogarnął strach. Na próżno rodzice ostrzegali córki:

– Nie wychodźcie z domów. Uważajcie!

Dziewczyny – jak dziewczyny. Jedne zapominały o przestrogach, inne biegły nad Wisłę z ciekawo-

ści – żeby chociaż z daleka zobaczyć, jak też ta straszna bestia, ten potwór, co dziewczyny do jamy wciąga, wygląda... Żadna nie wróciła.

Kobiety płakały, mężczyźni naradzali się – co robić? Jak wypędzić Smoka z jamy, zgładzić albo wygonić z Krakowa? Żaden nie wiedział. Król też nie. Zamknął się w zamku, córkę w sąsiedniej izbie zabarykadował i myślał, myślał, myślał...

Tylko że z tego myślenia nic nie wychodziło. Poza dworzanami, którzy w popłochu pakowali manatki i uciekali z królewskiego dworu jak szczury z tonącego okrętu. Nie wiadomo, czego się więcej bali – smoka czy ludzi, którzy zniecierpliwieni bezradnością króla, zaczęli się buntować i skandowali pod królewską siedzibą co sił w płucach:

> – *Fora ze dwora! Fora ze dwora!*
> *Jak król ze Smokiem się nie upora,*
> *to mu powiemy: FO-RA ZE DWO-RA!*

Kruk krakał złowieszczo, że król stoi na krawędzi i lada chwila straci królewską posadę. Król dygotał ze strachu. Nie jadł, nie pił i nie spał. Berło wyturlało mu się z rąk, tron się pod nim trząsł...

Aż się królewna zdenerwowała, bo miała tego wszystkiego powyżej uszu, tupnęła nogą i krzyknęła:

— Wychodzę!

— Dokąd? — jęknął Krak.

— Najpierw z komory, w której mnie zamknąłeś, a potem za mąż. Za tego, kto zgładzi smoka — wyjaśniła córka. — Jak tata rozgłosi tę wiadomość na cztery strony świata, na pewno znajdą się chętni.

Zaraz się znaleźli. O bogactwie króla i urodzie królewny krążyło tyle opowieści, że natychmiast przybyli do Krakowa. Konno. Z pieśnią na ustach:

— Pędzimy na koniach
zakuci w pancerze,
pancerni i wierni,
odważni rycerze.

A każdy ma tarczę
i każdy ma miecz,
bo walka ze smokiem
rycerska to rzecz.

A konie cwałują
na złotych podkowach
do grodu Krakusa,
do miasta Krakowa.

I każdy z rycerzy
wytęża już wzrok –
ach, gdzie jest ta bestia?
Ach, gdzie jest ten smok?

Ale gdy smok wylazł z jamy, wszyscy na jego widok krzyknęli tylko jedno słowo:

– Zjeżdżamy!

Tumult się zrobił przeokropny, Smok bluznął ogniem, rycerze pogubili tarcze i miecze, ludzie zaczęli śmiać się, krzyczeć i gwizdać. A najgłośniej śmiał się i gwizdał Szewczyk Dratewka.

Pędził przez zamkowe podwórze, śmiał się:

– Tchórze! Tchórze! Nie rycerze, tylko tchórze! – I bardzo głośno gwizdał na palcach.

A potem wpadł do kuchni i już nie głośno, tylko po cichu gwizdnął palcami ze skrzyni dworskiej kucharki miarkę siarki. W pędzie minął królewnę, szur, szur – powiedział jej coś na ucho, królewna zrozumiała, oczy jej się zaświeciły i też zaczęła gwizdać. Najpierw dwa razy z podziwu dla urody i pomysłowości Szewczyka: „Fiu! Fiu!", a potem – fiuuu! – wpadła jak burza do komnaty króla, fiuuu! – zdarła z ojca baranicę, fiuuu! – rzuciła ją Dratewce. I jeszcze pomogła mu królewski kożuch przenicować, odwrócić go baranimi kudłami do wierzchu.

A Szewczyk raz-dwa uformował z baraniny barana, nafaszerował go siarką, zaszył dratwą i podrzucił Smokowi.

– Proszę, proszę, niech się Smok nie krępuje, niech się Smok poczęstuje...

Legenda mówi, że kiedy Smok zjadł barana wraz z nadzieniem, z paszczy buchnęły mu płomienie i miał tak siarczyste pragnienie, że:

Przez lat siedem wodą z Wisły
gasił z jękiem pożar szczęk,
w ósmym roku stracił zmysły
i z okropnym hukiem pękł!
A co się stało z królewną? No cóż:
szewc królewnę wziął za żonę
i choć królem potem był,
szewski warsztat miał pod tronem
i poddanym buty szył.

Na weselu wszyscy tańczyli. Oczywiście krakowiaka. Na czele z krukiem króla Kraka. A niektórzy opowiadali potem swoim wnukom, że to właśnie ten królewski kruk wykrakał im zakończenie legendy. O tym, jak to szewc, co stał się królem, szył buty poddanym...

Legenda
o Czarodziejskim Młynku
z Wieliczki

Dawno, dawno temu, kiedy woda w morzu była jeszcze słodka, tak słodka jak w jeziorach, jak w rzekach, jak w górskich strumieniach – daleko od morza, w kopalni soli w Wieliczce żył Solny Dziadek. Miał słone ręce i słoną twarz, a wąsy i brodę tak osypane solą, że wyglądały jak siwe. Jak siwiuteńkie śniegowo-lodowe sople. Może naprawdę były siwe, a może tylko od tej soli? Tylko oczy miał czarne. Jak noc albo podziemne jezioro. Długie, słone jezioro, nad którym mieszkał w grocie kopalni.

Rano, ledwie się zbudził, sięgał po duży kilof i małą latarenkę, brał wiklinowy kosz i szedł nad brzeg czarnego jeziora. Tam czekała na niego pękata łódź, która przewoziła go na drugi brzeg. Płynęła powoli – chybocząc się między filarami soli, bramami i korytarzami wypłukanymi przez wodę w słonych bryłach. Płomyk latarki powtarzał ich odbicie w wodzie, a Solnemu Dziadkowi roziskrzały się oczy i szeptał sam do siebie:

– Zamczysko… Istne podziemne zamczysko. Najpiękniejszy pałac świata. Żaden król takiego nie ma. Żadna królowa. Co z tego, że u nich ściany z marmuru, z alabastru, że marmurowe kolumny. Żaden marmur, nawet najbielszy, żaden alabaster nie błyszczy jak sól. Chyba że byłby klejnotami wysadzany. Ale klejnoty u królów w skarbcach, nie na ścianach… Więc takiego zamku jak mój żaden nie ma. I chyba tylko tamten, o którym ludzie mówią, że najpiękniejszy – szklany zamek na Szklanej Górze, kryształowy, diamentami mrozu w zimie ozdobiony i rozświetlony nocą światłem księżyca – może się równać z moim podziemnym pałacem. A może nawet i on nie, bo mój jest naprawdę, a tamten tylko w baśniach i snach, które śnią się dzieciakom po nocach…

Tak szeptał do siebie Solny Dziadek, płynąc łodzią, a kiedy łódź dobijała do brzegu – wysiadał i zabierał się do roboty. Cały dzień rąbał ściany groty, a co uderzył kilofem, to sobie podśpiewywał:

> *– Ej, ty groto, groto,*
> *sól w tobie jak złoto.*
> *Klnę się, jakem Solny Dziad –*
> *starczy jej na tysiąc lat!*

Od ściany odpadały wtedy błyszczące bryły i same wskakiwały do Dziadkowego kosza. Kiedy kosz był pełny, Dziadek zbierał się do powrotu. A na drugim brzegu jeziora czekał już na sól najcenniejszy skarb Solnego Dziadka – Czarodziejski Młynek.

Czarodziejski Młynek miał czarodziejską korbkę, która od rana do nocy i od nocy do rana obracała się sama i mełła bryłki soli na drobniutkie ziarenka.

– Tur-tur-tur! Tur-tur…! – turkotała korbka, aż się Dziadkowi czasami to turkotanie uprzykrzało. Wtedy zatrzymywał młynek, mrucząc nad nim zaklęcie. A zaklęcie brzmiało tak:

> *– Młynku, młynku, czas spoczynku,*
> *przestań kręcić korbką, młynku.*
> *Obróciłeś zło na dobro –*
> *przestań, młynku, kręcić korbą.*

I wtedy korbka przestawała się kręcić, turkotanie zacichało.

Wielu ludzi przychodziło do Dziadka po sól. Niektórych oprowadzał Dziadek nawet po swoim podziemnym królestwie, ale Czarodziejskiego Młynka nie pokazywał nikomu.

Aż pewnego dnia zjawił się w kopalni jakiś zapłakany chłopak. Dziadek wybierał się właśnie do roboty i wcale mu nie na rękę były te odwiedziny. Więc też i niegościnnie burknął:

– Czego chcesz?

Chłopcu buzia wygięła się w podkówkę, obiema chudymi pięściami zaczął trzeć oczy, a po policzkach poturlały się łzy duże jak grochy.

– Nie bucz! – powiedział już łagodniej Solny Dziadek. – Skrzywdzili cię czy co?

– Skrzywdzili… – wyjąkał chłopak. – Owce na łące pasłem, wilk podleciał i jagniątko mi porwał. A gospodarz zakazał, żebym bez jagnięcia nie wracał do chałupy, bo mnie na śmierć utłucze…

Solny Dziadek pogłaskał go po głowie.

– I co, wilka szukasz? Ech, na nic twoje szukanie. Już ci on, rozbójnik, jagnięcia nie odda!

– To już nie mam po co do gospodarza wracać – rozpłakał się od nowa chłopak.

Dziadek przyjrzał mu się uważnie.

– A ojców masz?

– Nie mam… Pomarli…

– I gospodarz, powiadasz, zły?

– Oj, zły, panie, zły!

– A jak cię wołają?

– Pietrek.

– No, to wiesz, Pietrek, co? Zgódź się do mnie na służbę. Razem będziemy sól wydobywać.

I tak mały Pietrek został pomocnikiem Solnego Dziadka. Zaraz mu też Dziadek wyszykował nieduży kilof, kosz niewielki, w sam raz na jego miarę, i jasną latarenkę. Razem odtąd pracowali i razem podśpiewywali przy robocie Dziadkową piosenkę:

Ej, ty groto, groto,
sól w tobie jak złoto…

Parę lat razem przemieszkali, dobrze im się we dwójkę w solnej grocie żyło, a mimo to Dziadek zamyślał się coraz częściej i w zasępieniu skubał oszronioną brodę.

– Cóżcie się, Dziadku, tak zadumali? – zagadywał go wtedy Pietrek.

– Iii… nic – zbywał go Dziadek.

Ale w końcu, kiedy już sobie wszystko widać dobrze przemyślał, przygarnął któregoś dnia Pietrka do siebie i zapytał:

— Słuchaj no, Pietrek, a czytać i pisać umiesz?

— Nie… — pokręcił głową chłopak.

— No widzisz, jak też nie umiem. A bez tego jak bez latarki — ciemno. Sól tylko całe życie rąbiesz i nawet nie wiesz, z czego ta sól i skąd ona na świecie. A tam może — gdzieś daleko w mieście — już ktoś uczony księgę o tym napisał? Jakbyś znał litery, poskładałbyś je do kupy, książkę przeczytał, a tak… — machnął Dziadek ręką i westchnął tylko. — Więc widzisz, Pietrek, umyśliłem sobie, żeś do miasta powinien iść po naukę. Ale nie martw się. Nie puszczę cię z pustymi rękami.

I z głębi solnej komory wyciągnął młynek. Zakurzony młynek z nieruchomą korbką i szufladką, która nie chciała się otworzyć.

— Zepsuty… — stropił się Pietrek.

— Zaczarowany — uśmiechnął się Dziadek. — Uruchomić go i zatrzymać może tylko zaklęcie.

I pochyliwszy się nad młynkiem wyszeptał:

— Młynku, młynku, słuchaj zaklęć,
młynku, młynku, korbką zakręć…

– Kręci cię! – krzyknął Pietrek. – Korbka sama się kręci, chociaż jej nie dotykałem! I sól się sypie!

– Przestanie się sypać, kiedy powiem tak:

Młynku, młynku, czas spoczynku,
przestań kręcić korbką, młynku,
obróciłeś zło na dobro,
przestań, młynku, kręcić korbą…

– Młynku, młynku – powtórzył Pietrek i nagle żal mu się zrobiło, że musi Dziadka opuścić.

– Czas spoczynku… – podpowiedział niepewnym głosem Dziadek.

– Obróciłeś zło na dobro, przestań, młynku, kręcić korbą – drżącym głosem ciągnął dalej Pietrek, a łzy jedna za drugą kapały na czarodziejską korbkę. Przytulił się do Dziadka. Do brody słonej, nie wiadomo już od czego bardziej – od soli, co na włosach szronem osiadła, czy od łez, i zapytał: – A co to znaczy „obróciłeś zło na dobro"?

– To znaczy, że kiedy znajdziesz się w potrzebie, kiedy spotka cię zła przygoda, pomoże ci młynek i sól, która z młynka leci. A uruchomisz go, mówiąc:

Młynku, młynku, słuchaj zaklęć,
młynku, młynku, korbką zakręć…

Parę razy te słowa powtórzyli i kiedy Pietrek dobrze już obydwa zaklęcia umiał, zapakował młynek do worka, zarzucił go na plecy i pożegnawszy Dziadka, ruszył w świat.

Wielki był ten świat. Góry na nim wysokie i rzeki szerokie, że ani dojrzysz drugiego brzegu, a dookoła drzewa, lasy, puszcze nieprzebyte.

Przez góry zbójnicy Pietrka przeprowadzili. Sól im dał w podzięce, dużo soli każdemu do woli. Do ziemi pięknie się skłonił, poszedł dalej. Przez rzekę przewoźnik go promem przeprawił. W zapłatę nasypał mu Pietrek soli do starego kapelusza, wielkiego jak bocianie gniazdo.

A za rzeką – las. Gęsty, ciemny, bez drogi, bez ścieżki. Noc się zrobiła, sowa świeci oczami, puszczyk pohukuje. I nagle...

– Auuu!

– Wilk! – przeraził się Pietrek.

Wyskoczył wilk zza drzewa, straszny, zjeżony, już jest blisko, kły wyszczerzył...

– Młynek! – przypomniał sobie chłopak.

Zasłonił się młynkiem, krzyczy zaklęcie – prędko, prędko, jednym tchem, żeby zdążyć, żeby wykrzyczeć wszystkie słowa, zagłuszyć strach. Śmignęła korbka, sypnęła się sól. Dużo soli. Chyba cały worek. A w soli, w tej białej soli stoi Biały Jeleń i tupiąc srebrnym kopytkiem, woła:

– Wskakuj na mnie! Przewiozę cię przez las!

Wskoczył Pietrek na Jelenia, przytulił młynek do piersi.

– Prędko, prędko, Biały Jeleniu! Uciekajmy przed wilkiem! Goni nas! Zęby wyszczerzył! Ojej, jakie ma zęby!…

– A ty masz sól – przypomina Jeleń. – Ciśnij mu w ślepia.

– A masz! A masz! – Ciska Pietrek garściami sól za siebie.

Zaskomlał wilk. Zawył. Zaskowyczał. Sól gryzie go w oczy, nie widzi uciekających, nie może biec, ogon podkulił…

– Już nas nie dogoni! Młynek nas uratował! – cieszy się Pietrek i szepcze Dziadkowe zaklęcie:

– Obróciłeś zło na dobro, przestań, młynku, kręcić korbą…

Skończył się las. I noc się skończyła. Z pól idzie mgła. Mięciutka biała mgiełka. A Białego Jelenia już nie ma. Zniknął, rozpłynął się w bieli i tylko gdzieś tam, z daleka, zza tej białej jak sól mgły, woła:

– Nie zatrzymuj się, aż dojdziesz do miasta!

Ale do miasta jeszcze daleko. Droga prowadzi przez pola. Miedzami, bruzdami. A za polami – karczma. Drzwi otwarte, z izby bucha zapach jedzenia. Jeleń mówił – „Nie zatrzymuj się"… Więc może lepiej przejść obok, nie zaglądać do środka? Ale jedzenie tak pachnie…

Stanął Pietrek przed progiem.

– A ty dokąd? – zatrzymała go karczmarka. Spojrzała na bose nogi, podarte ubranie, zerknęła na worek.

– Głodny jestem… – przełknął ślinę chłopak.

– A masz czym zapłacić?

– Mam – kiwnął głową – solą zapłacę.

Wpuściła go do karczmy, wyciągnął młynek z worka, postawił na stole, cicho – żeby nikt nie usłyszał, szepnął zaklęcie. Zakręciła się, zaterkotała korbka, sól poleciała na stół.

– Starczy?

Karczmarce zaświeciły się oczy.

– Nie żałuj – zachęca chłopca i zgarniając sól do fartucha, odlicza: – Za chleb garsteczka, garstka za barszczyk, jak dodasz jeszcze, na skwarkę starczy…

A na ławie przy Pietrku siedzi już gruby jegomość. Czerwony na twarzy, brzuchaty i na pewno bogaty. Łakomym wzrokiem spojrzał na młynek, sięgnął do kiesy, śmignął Pietrkowi przed nosem miedzianym pieniążkiem, puścił go po stole. Pieniądz potoczył się, zakręcił, brzęknął, a pan powiedział:

– Dam ci go za młynek…

– Nie – pokręcił głową Pietrek.

Drugi raz sięgnął pan do kiesy. Zakręcił drugim pieniążkiem. Srebrnym.

– A teraz? – namawia coraz bardziej kusząco. – Za srebro?

– Za srebro też nie.

A pan coraz bardziej na młynek chytry, coraz czerwieńszy na twarzy, złoty dukat wyciągnął, złotem przed oczami błysnął.

– Nie kuście, panie – roześmiał się Pietrek. – Nic z tego. Młynka nie sprzedam. Dostałem go od Solnego Dziadka i za żadne skarby się z nim nie rozstanę.

Pan złość w sobie schował, pieniądze z powrotem do kabzy zgarnął, ale od zamiaru nie odstąpił. Zaklaskał na karczmarkę, żeby do stołu podała i Pietrka na ucztę zaprosił. Nie na barszcz i skwarkę, jak zapowiadała karczmarka, tylko na prawdziwą ucztę z takimi potrawami, frykasami i słodyczami, jakich Pietrek w życiu na oczy nie widział. Najlepsze kęski chłopakowi podsuwał, opowiadał o swoich kupieckich podróżach, przygodach, o wędrówkach po dalekich krajach. A coraz też do srebrnego pucharka miodu Pietrkowi dolewał i do picia namawiał. Aż miód – mocny trunek, zakołował chłopcu w głowie. Chce coś powiedzieć – język mu się plącze, chce wstać – nogi jak z ołowiu, a powieki same na oczy opadają…

Pan tylko na to czekał. Łaps za młynek, hyc na wóz – wiśta, wio! koniki! – woźnica na koźle batem konie okłada, pan z tyłu krzykiem pogania:

– Prędzej! Prędzej!

Młynek postawił sobie na kolanach, oczu z niego nie spuszcza. Korbka furkoce, wiruje, soli coraz więcej. Leci na wóz, na drogę. A pan się cieszy.

– Widzisz, jaki zrobiłem interes? Grosza nie dałem i młynek mój. Chłopak śpi, a my już daleko.

– A co będzie, jak się obudzi? – zaniepokoił się woźnica. – Ślad na drodze zostaje, cała droga za nami biała…

– Nie martw się. Dobry miód ma taką moc, że zamienia dzionek w noc. Jak się chłopak obudzi, będziemy już tak daleko, że sam diabeł za nami nie trafi. Pojedziemy do Gdańska, wsiądziemy na statek, przeprawimy się przez morze. W zamorskim kraju sól droższa od złota. Kupimy za nią pałac, służbę, karetę… Wszystko obmyśliłem. Zobaczysz, będziemy żyć jak w raju!

– Wio! – popędza konie woźnica. A kupiec śpiewa na cały głos:

— Będziemy żyć jak w raju
w zamorskim, morskim kraju,
będziemy wino pili,
będziemy się bawili!

I tak im pilno do tego raju, że nigdzie się na dłużej nie zatrzymują. Zmieniają tylko w przydrożnych zajazdach konie – jedna para nie dałaby rady, więc coraz nową do wozu zaprzęgają i dalej w drogę.

Szmat drogi ujechali, zanim się Pietrek obudził. Patrzy – w sieni na słomie leży, karczmarka nad nim stoi. Aż w ręce plasnęła, kiedy oczy otworzył.

– Myślałam, że już po tobie. Trzy dni spałeś jak nieprzytomny. Spili cię, młynek ukradli... Wiem, wiem – do szkół miałeś iść, solą za naukę płacić, cały czas o tym przez sen bełkotałeś, ale teraz, jak nie masz młynka, to chyba u mnie zostaniesz. W karczmie też się możesz niejednego nauczyć.

– Nie! – zerwał się na równe nogi Pietrek. – Muszę odzyskać młynek! Żeby nie wiem co, muszę!

– Chcesz zostać – zostań, nie chcesz – twoja wola. Ale skoro idziesz, to chociaż worek ze sobą weź. Zgarnęłam do niego sól, co się przed karczmą z młynka wysypała. Na drodze było więcej. Może co jeszcze zostało? Pozbierasz, sprzedasz...

Podziękował Pietrek karczmarce, zarzucił worek z solą na plecy i nagle, ledwie wyszedł na drogę – Ptak z worka wyleciał! Wielki Biały Ptak! Pióra ma białe, bielutkie jak sól, jak śnieg, dziób srebrny, skrzydłami łopoce! I śpiewa, śpiewa, śpiewa:

– Moje skrzydła są mocne,
moje skrzydła szerokie,
polecimy nad ziemią,
śnieżnobiałym obłokiem,
za człowiekiem niedobrym,
który młynek ci skradł.

– Ptaku, Ptaku bielutki, nieś mnie szybciej niż wiatr! – prosi Pietrek.

I lecą, fruną – szybciej niż wiatr, nad domami, lasami, polami, łąkami. W dole migają jakieś wsie, miasta, rzeki. Na północ lecą, bo jak słońce wstaje, to im z prawej strony świeci, a jak zachodzi – z lewej.

A na północy – wielka woda. Morze. Już jest, już je widzą, groźne, wzburzone, grzywiaste od fal. I statek między falami. Żaglowiec. Ciężki od soli, oblepiony mokrymi bryłami. Sól wybrzuszyła się wielką górą na pokładzie, zasypała koło sterowe, leci z młynka białą lawiną, statek coraz bardziej się pogrąża, a w lawinie szamocą się kupiec i woźnica. Chwycili młynek, wyrywają go sobie z rąk, chcą zatrzymać korbkę...

Nie zatrzymają. Nie znają zaklęcia. I Pietrek nie zdążył go wypowiedzieć. Fale wdarły się na pokład, grzywami zmiotły sól, zatopiły młynek, wciągnęły głęboko aż do samego dna.

I statek zaraz zatopią. I tych, którzy młynek ukradli. Zatoną razem z żaglowcem...

Nie zatonęli. Biały Ptak ich ocalił. Wielkimi, mocnymi skrzydłami wygładził wzburzone morze, podniósł z przechyłu żaglowiec wolny od ciężaru soli.

– Uratowałem was od śmierci – powiedział do kupca. – I statek uratowałem. Odtąd będzie należał do chłopca. Przez ciebie stracił młynek, więc oddasz mu żaglowiec. I będziesz płacił za jego naukę.

I tak się właśnie stało. Pietrek zamieszkał nad morzem, uczył się, po latach został sławnym żeglarzem, kapitanem własnego statku. Cały świat dokoła opłynął i w każdym porcie opowiadał historię Czarodziejskiego Młynka.

Po dziś dzień stoi ten młynek na dnie Bałtyku. Kiedy rybacy wypływają na połów, a noc naokoło jest cicha i Bałtyk łagodny, mówią, że z morskiego dna sły-

chać miarowe turkotanie i szum soli, od której woda
w morzu zrobiła się słona. A niektórym udaje się nawet usłyszeć śpiewanie:

– Gdzie nie dojrzy ludzkie oko,
gdzie słowa nie dotrą,
stoi Młynek Czarodziejski
z czarodziejską korbką.
Póki sól się z młynka sypie,
morze słone będzie.
Czy to prawda? Chyba prawda,
bo tak jest w legendzie.

Legenda
o Warsie
i Sawie

Za siedmioma falami, za siedmioma wirami, w głębi Wisły, w najgłębszej wodzie, w zamku z czarnych korzeni, wśród grążeli, grzybieni, żył przed laty okrutny Czarodziej. Brodę miał z wodorostów, zbroję z rybich łusek, z pancerzy raków-skorupiaków żelazną tarczę i miecz z żelaznym ostrzem. A oczy — zimne jak lód i serce twarde jak nienawiść.

Nienawidził wszystkiego, co dobre i piękne, małe, słabe i bezbronne. A najbardziej nienawidził ptaków, które śpiewały.

Kiedy wynurzał się z wody i uderzał mieczem o tarczę – niebo stawało w płomieniach, a on śmiał się głosem podobnym do grzmotu:

– Błyskawice, do ataku!
Podpalajcie gniazda ptaków!
Dąb za dębem, liść za listkiem
niech się w popiół zmienią wszystkie!
Niech się spalą wszystkie drzewa,
niech tu żaden ptak nie śpiewa!

I tak się zdarzyło, że pewnego dnia, kiedy niebo nad brzegiem Wisły rozgorzało błyskawicami Czarownika, z lasu wybiegła dziewczyna. Sawa miała na imię. W otwartych dłoniach niosła gniazdo pełne piskląt i wołała z płaczem:

– Panie! Nie zabijaj ptaków! Zlituj się! Pozwól im śpiewać!

– A wiesz, co ja z tobą zrobię? – przyjrzał się dziewczynie Czarownik.

– Twoje włosy zmienię w liście,
twoje nogi w dwa korzenie,
ani słowa już nie powiesz,
kiedy w wierzbę cię zamienię!

– Tylko ptaki ocal! – błagała Sawa.

– A może wolisz, żebym cię w łabędzia zmienił?… Nie, za ładna jesteś. Masz włosy złote jak błyskawice, oczy zielone jak woda. Zatrzymam cię przy sobie. Będziesz syreną. Twoje nogi zamienię w rybi ogon, twoje ciało pokryje się łuską…

– Ratunku! – krzyknęła Sawa, ale już było za późno. Czar został rzucony. Zły Czarownik przemienił dziewczynę w syrenę i wciągnął do podwodnego królestwa.

A od tego miejsca daleko, za górami, pagórkami, nad rzeką, w puszczy nad brzegiem Wisły żył myśliwy, który miał trzech synów. Kiedy synowie dorośli, przyszła pora, żeby każdy z nich zaczął samodzielne życie. Ojciec zaprowadził ich na leśną polanę i powiedział:

– Mam tutaj łuk i strzały. Niech każdy wybierze jedną.

Strzelił najstarszy syn. Strzała wylądowała w legowisku niedźwiedzia.

– Będziesz myśliwym – powiedział ojciec.

Naciągnął cięciwę drugi. Strzała trafiła w pień drzewa.

– Ty będziesz bartnikiem – zdecydował ojciec.

Podszedł trzeci. Najmłodszy. Na imię miał Wars. Strzała śmignęła w wodę.

– Będę rybakiem! – ucieszył się Wars.

Z dębowego pnia zbudował mocną łódź, przez siedem dni ciosał wiosło, przez siedem nocy wiązał sieć. A potem pożegnał ojca i wypłynął na wiślany nurt.

Woda sama go niosła. Cicho, spokojnie, sennie. Aż zaniosła pod wiklinową wyspę. A tam – w zielonych wiklinach-łozinach coś się kłębiło, szamotało, szumiało wiatrem i połyskiwało srebrem.

– Hop! Hop! Jest tam kto? – zawołał Wars.

– Wiii… wiii… widzisz mnie? – odpowiedział ptasi głos. I poskarżył się żałośnie:

> *– Wiklinowa witka,*
> *wiklinowy liść,*
> *uwikłałem się*
> *w wiklinach,*
> *nie mogę stąd wyjść!*

Rozgarnął Wars wiklinowe gałęzie. Ostrożnie, żeby nie uszkodzić skrzydeł, wyplątał ptaka z uwięzi. I cały czas dziwił się:

Głos niby ptasi, ale skrzydła? Wielkie, czyste, przezroczyste… Jak żyję, nie widziałem takich skrzydeł… A może to nie ptak? – w myślach sobie tak mówił, sam do siebie. A wielki ptak nie ptak chyba usłyszał te myśli, bo w odpowiedzi zaśpiewał:

> *– Jestem Ptakiem-Wiatrem,*
> *królem wszystkich ptaków.*

Pomogłoś mi w biedzie,
dziękuję, rybaku.
Skrzydła mam szerokie
od ziemi do nieba,
wezmę cię pod skrzydła,
gdy przyjdzie potrzeba!

Odleciał Ptak-Wiatr. Na chwilę rozkołysał skrzydłami ziemię i powietrze, wodę i liście drzew. A potem zaległa cisza. Na niebie pojawił się księżyc, w krzakach rozśpiewały się słowiki. Nadeszła ciepła, majowa noc.

– Zostanę tu – postanowił Wars.

Podpłynął do brzegu, przycumował łódź.

I nagle z głębi rzeki wypłynęła syrena. Włosy miała długie, złote, rozpuszczone do pasa, ogon jak ryba, a głos taki, że zamilkły, zasłuchały się słowiki. Patrzyła na Warsa i śpiewała tak, że każde słowo trafiało mu prosto w serce:

– Ej, rybaku, popatrz na mnie,
zaczarował mnie Czarodziej,
kiedyś byłam piękną panną,
teraz jestem rybą w wodzie.
Kto się czarów nie przelęknie,
kto nie wierzy w żadne gusła,

ten mnie złowi w swoje sieci
i opadnie rybia łuska…

Zmąciła się spokojna woda. Zniknęła syrena. Skoczył Wars do łodzi, chwycił sieć – patrzy, a na środku rzeki stoi zły Czarownik. Dźwignął się z dna – wielki, groźny. Tarczę z wody otrząsnął, mieczem księżyc z nieba przegonił. Pogroził Warsowi i ostrzega:

– Żeby spotkać się z dziewczyną,
musisz siedem fal przepłynąć.
Gdy przeskoczysz siódmą falę,
siedem wirów będzie dalej.
Gdy przez wiry się przeprawisz,
błyśnie siedem złych błyskawic!…

Spiętrzyła się woda, zakotłowała. Ruszyła na łódź. Fale pod niebo wysokie, wiry głębokie do dna…
– Zginiesz, rybaku! – krzyczy z wody zły Czarodziej.
– Uważaj, Warsie! – woła spod nieba Ptak-Wiatr. Jest! Przyleciał na pomoc.
Uderzył Czarownik w tarczę. Skoczyły błyskawice spod miecza. Siedem błyskawic ruszyło do ataku… Ale Ptak-Wiatr przeniósł łódź Warsa przez siedem wirów, odgonił siedem fal i przepędził siedem błyskawic.

Zakołował skrzydłami, wyrwał Czarodziejowi miecz, wytrącił tarczę.

Sawa je podniosła. A Wars już zarzuca na nią sieć, już wyciąga z wody. Skończyły się czary. Opadła rybia łuska. Syrena zmieniła się w dziewczynę.

– Wars… – uczy się imienia rybaka dziewczyna.

– Sawa… – powtarza imię dziewczyny Wars.

A Ptak-Wiatr woła do nich spod nieba:

– Za siódmą górę i za siedemdziesiątą rzekę przegonię złego Czarownika! Żeby już nigdy nie wrócił! A wy zostańcie tutaj i bądźcie szczęśliwi! Kochajcie się!

– Kochajcie… – powtórzyły wiślane fale. I liście drzew, i ptaki, i słońce wstające nad Wisłą.

I tutaj – kończy sie legenda –
był sobie chłopak i dziewczyna,
i tu, od imion zakochanych,
historia miasta sie zaczyna.

Na brzegu Wisły zamieszkali,
dom zbudowali – Wars i Sawa,
i z dwojga imion się zrodziło
najmilsze z wszystkich miast – Warszawa.

Legenda o Bazyliszku

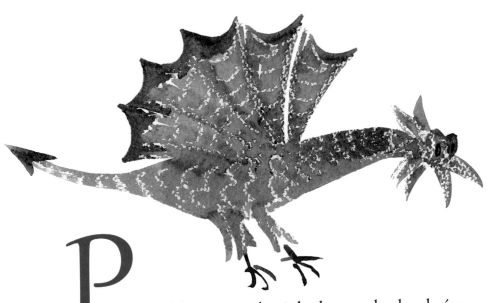

Przed laty, przed wielu laty w lochach średniowiecznej Warszawy żył straszny potwór – Bazyliszek. Był wielki, ogromny, miał ciało pokryte łuską, grubym, zrogowaciałym pancerzem łuski, skrzydła jak nietoperz, ogon jak krokodyl, łapy zakończone szponami i takie oczy, że na kogo tylko spojrzał, ten od razu zamieniał się w kamień.

– Bazyliszkowy wzrok… – mówili ludzie. Szeptem, ze strachem, żeby nie usłyszał. Żeby żadne słowo nie doszło do lochów, w których spędzał całe dnie. Bo za dnia nigdy z podziemi nie wychodził.

– Śpi… – mówili ludzie i ze strachem patrzyli na ratuszowy zegar. – Ach, żeby spał jak najdłużej! Żeby choć raz przespał całą noc! Żeby i nam pozwolił spać spokojnie!

Ale noce nie były spokojne. O północy, niemal jednocześnie z ostatnim uderzeniem zegara, ziemia zaczynała drżeć, kamienie przewalały się z łoskotem, a ludzie zaryglowani w domach szeptali jeden do drugiego:

– Obudził się… Idzie… Wyszedł z lochu… Żeby tylko ominął nasz dom!

I zatykali uszy, żeby nie słyszeć łopotu skrzydeł i głosu Bazyliszka. Ale głos docierał wszędzie. Niski, złowrogi, przerywany chichotem i wyciem:

> – *Kamień na kamieniu,*
> *na kamieniu kamień,*
> *wszystko, co na drodze,*
> *zmiażdżę, zgniotę, złamię.*
> *Moje skrzydła ciężkie*
> *i grube pazury,*
> *zerwę wszystkie dachy,*
> *porozbijam mury.*
> *To, co było żywe,*
> *niech się martwe stanie.*

Kamień na kamieniu,
na kamieniu kamień!

A potem był już tylko świst, ryk, łomot spadających dachówek, trzask przewracanych straganów, waliły się płoty, ściany domów trzeszczały, z kominów leciały cegły, płonące żagwie rozniecały pożary. Ludzki dobytek zmieniał się w ruinę, a ludzie byli bezradni.

Próbowali różnych sposobów, żeby przebłagać Bazyliszka – składali mu okup, przed wejściem do lochów kładli jedzenie: tłuste kury, gęsi, barany. Nic nie pomagało. Niektórzy nawet mówili, że po tym jedzeniu Bazyliszek ma jeszcze większą siłę, jeszcze mocniej młóci powietrze wielkimi skrzydłami, jeszcze większe zniszczenie czyni.

Odczyniali czary, szeptali zaklęcia, próbowali święconej wody – wszystko na nic. Ani przebłagać się nie dał, ani walczyć z nim nie było można.

Bo znaleźli się śmiałkowie, którzy szli do lochów. Kilku z nich nawet sam burmistrz wysłał, obiecując sowitą nagrodę. Uzbrojeni byli po zęby, ale żaden nie wrócił.

A broń, z którą szli do lochów, znajdowano potem na progach ich domów pogiętą, połamaną, do niczego niezdatną. Jakby Bazyliszek rzucił ją tam na znak, na przestrogę, na dowód swojej siły.

Lęk chwytał ludzi za gardła.

– Broń zniszczył, a ludzi zmienił w głazy… Do końca świata spod ziemi nie wyjdą. Stoją tam w kamienne posągi obróceni…

– Na Bazyliszka nie ma sposobu! – tłumaczyły matki synom, a siostry przestrzegały braci:

– Nie próbujcie tam iść. Nikomu się nie uda.

Ale chłopakom myśl o Bazyliszku nie dawała spokoju. I tak się zdarzyło, że jeden z nich, bardzo jeszcze młody, bo zaledwie piętnastoletni Marek, powiedział któregoś dnia do swojej siostry, Magdy:

– Bazyliszek ma takie oczy, że na kogo spojrzy, ten obraca się w kamień. Więc ja, gdybym tam szedł, tobym wziął nie tylko miecz, ale i tarczę. Tarczą bym się zasłonił, żeby mnie nie widział i – łubudu! – na niego!

– Nie pleć głupstw! Na razie nie dorosłeś jeszcze do tarczy i miecza, a jak dorośniesz, to mam nadzieję, że zmądrzejesz! – zgromiła go Magda.

I poszła spać, ani na chwilę nie przypuszczając, że brat jeszcze tej samej nocy zakradnie się do komnaty ojca, że weźmie stamtąd miecz i tarczę, że cichaczem wymknie się z domu…

Spała tak mocno, że nie słyszała ani ratuszowego zegara dzwoniącego północ, ani łopotu skrzydeł Bazyliszka.

A rano obudził ją płacz matki:

– Marka nie ma!

Wybiegła przed dom. Na progu leżał połamany miecz, strzaskana tarcza. I kamień. Płaski, czarny kamień przeorany pazurami Bazyliszka, zgnieciony jego łapą. Jakby na dowód, że taki właśnie los spotkał tych, którzy próbowali z nim walczyć. Na przestrogę, żeby nikt nie próbował.

Więc Marka nie ma już wśród żywych?...

– Nie! – krzyknęła Magda. – On żyje! Na pewno żyje!

Rzuciła się między ludzi. Z płaczem, z krzykiem, z błaganiem:

– Mój brat poszedł do Bazyliszka! Trzeba coś robić! Pomóżcie! Ratujcie!

Odwracali się od niej, mówiąc:

– Dla tych, co idą do lochów, nie ma ratunku. Nikt nie da rady!

Zabiegała im drogę, chwytała za ręce, próbowała przekonać:

– Ja wiem... – mówiła – Jeden człowiek nic nie zdziała, ale jakby wszyscy poszli... Gdyby całe miasto stanęło do walki...

Nie chcieli słuchać. Szli do swoich codziennych za-
jęć, rozkładali towar na rynku, otwierali stragany.
Szewc nawoływał do kupna butów:

– Buty, buty, buciczki,
miękkie jak rękawiczki!

Garncarki zachwalały garnki:

– Do garnków, do garnków,
panowie, panie!
Garnuszki piękne!
Garnuszki tanie!

Sprzedawca luster podsuwał lusterka:

– Lustro nie kłamie,
panie, panowie.
Lustro doradzi,
lustro podpowie!

I nagle Magda aż wstrzymała oddech, bo w jednym z tych luster zobaczyła coś dziwnego. Jakby odbicie swoich myśli. I usłyszała szept:

— Rycerze walczą mieczem,
bo to jest męska rzecz,
dla słabych rąk kobiecych
za ciężki każdy miecz.
Nic mieczem nie zwojujesz,
więc weź lusterko w dłoń,
lusterko dla kobiety
to niezawodna broń!

Nie zastanawiała się ani przez chwilę.

— Bazyliszek ma złe oczy. Na kogo spojrzy, ten obraca się w kamień. Więc jeśli spojrzy na siebie?... Jeśli zobaczy siebie w lustrze?...

Chwyciła lustro. Wbiegła do lochów. W mrok, w ciemność, w kamienny korytarz. Między kamienne posągi, które stały wzdłuż ścian. I nagle z daleka, jakby z głębi studni, usłyszała ryk Bazyliszka:

— Kto tu przyszedł, ten nie wróci,
zaraz w kamień się obróci!

Przywarła do kamieni. Wstrzymała oddech. Zasłoniła się lustrem. Nogi jej dygotały, ręce trzęsły się jak w febrze.

— O Boże, żeby tylko nie upuścić lustra! Żeby nie upadło!

Zamknęła oczy. Zbliżał się. Szedł. Słyszała jego kroki. Głos:

> — *Gdzie masz tarczę?*
> *Gdzie masz miecz?*
> *Widzę jakąś dziwną rzecz.*
> *Jakiś potwór patrzy na mnie,*
> *zaraz mu nauczkę dam,*
> *zaraz go zamienię w kamień…*
> *Auuuu! Kto to?*

— To ty sam! Zamieniałeś ludzi w kamień, teraz sam się w skałę zamień! — krzyknęła Magda i lustro wyleciało jej z rąk.

Rozbiło się na kawałki, na sto słonecznych promieni, w lochu zrobiło się jasno, posągi przemieniły się w ludzi, wszyscy wołali, cieszyli się:

— Jesteśmy ocaleni! Dziewczyna nas uratowała! Bazyliszek skamieniał, a myśmy ożyli!

Marek tulił ją w ramionach, a ona płakała. Wielkimi łzami z wielkiej radości, że wszystko się tak dobrze skończyło i malutkimi łezkami z małego smuteczku, że lustro się stłukło. Było takie ładne…

Ale nie martwcie się! W pięć minut później Marek kupił jej na rynku jeszcze ładniejsze. I od tego czasu lustra stały się ulubioną bronią warszawianek.

Aha, i jeszcze coś. Jeśli ktoś opowie wam inną wersję tej legendy, że to nie dziewczyna poszła z lustrem do lochu Bazyliszka, tylko chłopak – nie wierzcie! Lustro w rękach chłopaka? Nie, nie, w takie bajki żadna dziewczyna nie uwierzy.

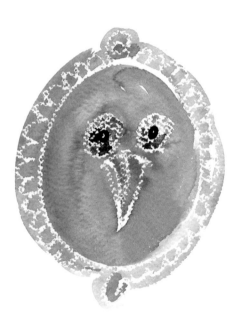

Legenda
o Złotej Kaczce

W czasach, kiedy Powiśle nie było jeszcze dzielnicą Warszawy, tylko wsią, nie opodal miejsca, gdzie teraz jest Pałac Ostrogskich i gdzie na placyku obok wejścia do pałacowych podziemi jest fontanna z figurką kaczki w koronie – w lepiance pod wiślaną skarpą mieszkała uboga wdowa, która miała dwóch synów – Kubę i Marcina.

„Koszykarze" – mówili o nich ludzie, bo wszyscy troje, żeby zarobić na życie, wyplatali z wiklinowych prętów koszyki, które matka sprzedawała potem na targu. A czasem oprócz koszyków sprzedawała również fujarki, które z wierzbowych gałęzi wycinał jej młodszy syn, Marcin.

Jedna z tych fujarek udała mu się nad podziw. Ledwie przyłożył ją do ust, zaśpiewała tak pięknie, aż sam się zdziwił:

– Zaczarowana czy co?

A matka popatrzyła na niego i powiedziała:

– Nie sprzedamy tej fujarki. Zostaw ją dla siebie, synku. I graj na niej ludziom na radość. Od serca graj.

Ale zaraz potem nadeszły smutne dni. Matka zachorowała, leżała w łóżku coraz bledsza, coraz słabsza, pieniędzy w domu było coraz mniej, nie starczało na jedzenie, na lekarstwa.

I kiedy Marcin myślał, że już wszystko skończone, że nie ma żadnej nadziei, kiedy sądził, że nie pozostaje mu już nic innego, jak tylko iść i żebrać, wierzbowa fujarka zaśpiewała tak:

– Tam, gdzie promień słoneczny nie trafi,
gdzie nie sięgnie wierzbowy korzeń,
Złota Kaczka pilnuje skarbów
zatopionych w podziemnym jeziorze.

Złota Kaczka w złotej wodzie
złote pióra moczy –
takich skarbów nie widziały jeszcze ludzkie oczy.
Złota Kaczka w złotej grocie
tańczy złoty taniec –
kto się czarów nie przestraszy,
złoty skarb dostanie.
Ten, kto nocy nie będzie się lękał
i przez lochy przeprawi się ciemne,
kto odważny, wytrwały i dzielny –
znajdzie w grocie jezioro podziemne.

– Pójdę tam! – zdecydował Marcin – Znajdę jezioro, skarb. Będziemy mieli pieniądze, kupimy lekarstwa dla mamy, jedzenie.

Ale starszy brat zatrzymał go w progu.

– Skarb pod ziemią? Tutaj?

– Jest! Na pewno jest. Fujarka mi powiedziała. Moja fujarka nie kłamie!

– Baj, baju, będzie w raju – wzruszył ramionami Kuba. – W bajki to tylko dzieci wierzą. Nigdzie nie pójdziesz i koniec.

Ale w duchu pomyślał sobie, że – kto wie? Może pod skarpą naprawdę coś jest? Nie żadna Złota Kaczka, oczywiście, ale może jacyś rabusie mieli tam kiedyś schronienie? Może coś po nich zostało? W krzakach pod urwiskiem jest dziura zawalona kamieniami. Może tamtędy wchodzi się do lochów? Więc może spróbować? Pójść tam?

Poszedł jeszcze tej samej nocy. Poczekał, aż matka i Marcin zasną, i poszedł. Przedarł się przez krzaki, odwalił kamienie zasłaniające wejście. Były ciężkie i śliskie, umazane mokrą gliną, ale jakoś dał sobie radę, zajrzał w głąb lochu, przez chwilę zawahał się. Ciarki mu po plecach przeleciały, bo chociaż noc była księżycowa, w środku było zupełnie czarno, ale zaraz pomyślał:

Co mi tam… Raz kozie śmierć! – I wszedł.

Zanurzył się w wąski, ciemny korytarz, wypłoszył nietoperze. Szedł po omacku, rękami trzymając się zimnych, śliskich ścian – w dół, w dół, ciągle w dół. Coraz niżej, aż usłyszał plusk wody. Aż w oczy buchnął mu blask złotego jeziora.

A po złotym jeziorze pływała Kaczka w złotej koronie i klekotała złotym dziobem:

> *– Chodzili po ziemi noce i dni,*
> *zbierali, zbierali do beczki łzy,*
> *bo moje bogactwo calutkie jest*
> *z tych gorzkich i słonych,*
> *z tych ludzkich łez…*

– O kim ta Kaczka mówi? – zdziwił się Kuba i zaraz na drugim brzegu jeziora zjawiło się dwóch osobników turlających wielką beczkę. Mieli czarne fraki i czarne, trójgraniaste kapelusze, a jak się zatrzymali i zdjęli z głów nakrycia, to okazało się, że na łbach mają rogi, a spod fraków wyskoczyły im ogony.

– Diabły! – przeraził się Kuba, patrząc jak rogatymi łbami biją przed Kaczką pokłony i merdają ogonami na powitanie. Obydwaj wyglądali zupełnie tak samo, ale Kaczka widocznie ich rozróżniała, bo na jednego mówiła – Mściwiec, a na drugiego – Chciwiec.

I zaraz wydała im rozkaz:

– Mściwiec, Chciwiec, opróżnić beczkę!

– Tak jest! – zasalutowali obydwaj i wylewając zawartość beczki do jeziora, wołali jeden przez drugiego:

– Będziesz zadowolona, królowo. Beczka pełniutka!

– Pozbieraliśmy łzy sierot, wdów, biedaków.

– Płakały głodne dzieci.

– I matki, które nie miały dla nich jedzenia.

– Brawo! Brawo! – zaklaskała dziobem Kaczka, podpływając do brzegu. Pogłaskała diabły po rogatych łbach, zatrzepotała błyszczącymi skrzydłami. Spod piór sypnął się deszcz złotych monet. Kuba aż ręce wyciągnął do tego bogactwa. A diabły w krzyk:

– Na kolana przed królową!

Ukląkł, złożył ręce jak do modlitwy:

– Królowo, jestem biedny, mam chorą matkę, w domu nie ma co jeść, nie mamy pieniędzy...

– Myślisz, że dam ci moje złoto? – zdziwiła się Kaczka.

– Niedużo, tylko trochę, żeby chociaż na lekarstwa dla mamy starczyło. I na chleb dla brata...

– Chi, chi, chleba mu się zachciało!

– Chi, chi, lekarstwa chce kupić!

– Patrzcie, jakie ma dobre serce! – rozchichotały się diabły.

– Serce... – zastanowiła się Kaczka. – Jeśli w zamian za złoto oddasz mi swoje serce...

– Oddam! Zrobię wszystko, co chcesz!

– A cyrograf podpiszesz?

– Podpiszę! – zgodził się natychmiast Kuba.

Ale kiedy diabły podsunęły mu pergamin, a Kaczka podała pióro, przynaglając:

– Pisz, pisz... Ja ci podyktuję, a ty podpiszesz – przypomniał sobie, że nie umie pisać i zapytał:

– A krzyżykami można?

– Tfu! – splunął Chciwiec przez lewe ramię.

– Tfu! – poszedł w jego ślady Mściwiec.

– Wykluczone – oburzyła się Kaczka. – Wypluj to słowo. Tego, o czym mówisz, w ogóle się u nas nie używa!

– Tfu! – splunął prędziutko Kuba. Też przez lewe ramię. Jak diabły.

Kaczka zdecydowała:

– Sama spiszę cyrograf, a ty przypieczętujesz go odciskiem palca.

I raz-dwa napisała na pergaminie: „W zamian za złoto oddaję Złotej Kaczce to, co mam najdroższego – moje serce".

– Pieczętuj! – przyskoczył do Kuby Chciwiec.

Złapał go za dłoń, wskazujący palec zanurzył w jeziorze i z całej siły przycisnął czubek palca do pergaminu.

– Podpisał! Podpisał!

– Swoje serce oddał – ucieszył się Mściwiec, a Kaczka podpłynęła do Kuby i powiedziała:

> *– Będziesz jeździł po świecie*
> *w szczerozłotej karecie,*
> *będziesz noce miał złote,*
> *będziesz złote miał dni*
> *i zapomnisz o matce,*
> *i zapomnisz o bracie,*

tobie radość przypadnie,
dla nich rozpacz i im — łzy…

I tak się stało. Kiedy Kuba podpisał cyrograf, oddał Złotej Kaczce serce i zaraz zapomniał o wszystkim. Karetą pełną złota wyjechał z podziemi, cztery konie złotymi podkowami waliły o bruk, diabły powoziły, ogony schowały pod fraki, rogi pod kapelusze, wesoło trzaskały z bata, a Kuba śpiewał, aż echo leciało po ulicach:

— Mam złote szaty,
złote dukaty,
jestem bogaty,
bardzo bogaty!

Jechał z takim przepychem, że wszyscy schodzili mu z drogi. Pojazdy zatrzymywały się, a przechodnie kłaniali się w pas, sądząc, że w ten sposób zaskarbią sobie łaskę bogacza i zasłużą na parę groszy rzuconych wielkopańskim gestem przez uchylone okienko karety.

I tak się złożyło, że na ulicę wyszedł akurat Marcin. Zobaczył karetę, za szybką mignęła mu twarz brata.

— Kuba! — ucieszył się głośno. — Jesteś, wróciłeś, znalazłeś skarb! Mama wyzdrowieje, kupimy lekarstwa!

– Precz! – wrzasnął Kuba, a diabły zawtórowały na całą ulicę:

– A pójdziesz! Huzia! Batem go!

– Jak to, dlaczego? – rozpłakał się Marcin. – Przecież znalazłeś skarb…

– Ale serca nie ma – roześmiał się Chciwiec – i z nikim się teraz bogactwem nie podzieli.

– Płacz, płacz! – świsnął nad głową Marcina bat Mściwca. – W jeziorze muszą być łzy. Dużo łez! Jak ich nie będzie, Złota Kaczka straci swą moc…

– Kiedy w jeziorze nie będzie łez, Złota Kaczka straci czarodziejską moc… – powtórzył szeptem Marcin i już nie patrzył na odjeżdżającą karetę. – Straciłem brata. Złota Kaczka zabrała mu serce. Ale mnie nie wolno płakać. Teraz wszystko zależy ode mnie. Teraz ja muszę zdobyć pieniądze na jedzenie i lekarstwa. Pójdę do Złotej Kaczki. Z fujarką pójdę.

I poszedł. A fujarka śpiewała mu po drodze piosenkę zieloną jak wierzbowe listki i nadzieja:

– Nie będzie łez, nie będzie łez,
nie będą płakać dzieci.
Nie będzie łez, nie będzie łez,
słoneczko znów zaświeci!

I tak go ta piosenka uspokoiła, że kiedy wszedł do lochu, krzyknął na cały głos, aż echo zadudniło w podziemnych korytarzach:

– Hej, hej, Złota Kaczko, jesteś tam? Hej, hej, pokaż się!

– A ty kim jesteś, żeś tak odważny? – zakwakała Kaczka.

Marcin zacisnął na moment powieki, bo go oślepił blask bijący od wody w jeziorze, od złotych piór Kaczki i korony na jej głowie, a kiedy otworzył oczy, zobaczył obok siebie Mściwca i Chciwca.

– My go znamy! – wołali jeden przez drugiego.

– Biegł za karetą.

– Pozazdrościł bratu bogactwa.

– Przyszedłeś po złoto? – spytała Kaczka.

– Tak – skinął głową.

– A czy jesteś gotów oddać mi swoje serce?

– Moje serce jest w moich piosenkach.

– Więc oddaj mi piosenki.

– Moje piosenki są w mojej fujarce.

– Wobec tego oddaj mi fujarkę. Tutaj ją rzuć, w jezioro...

Rzucił Marcin fujarkę do jeziora. I zaraz podpłynęła gondola ze złotą zastawą pełną najprzeróżniejszych przysmaków. Rogate diabły wprowadziły Marcina na pokład i merdając ogonami, krzyknęły z wielką uciechą:

– Z ludźmi się nie podzielisz!

– Sam się będziesz weselił!

– Sam? A ja przecież nie sam, tylko z wami. Z wami się weselę i z wami podzielę! – odpowiedział Marcin.

– Nie możesz się dzielić! Nie wolno! – sprzeciwiły się diabły.

– Ja wiem – z ludźmi nie wolno, ale wy przecież nie ludzie. Chyba że te rogi i ogony doklejone…

– Coś ty! – oburzyli się Mściwiec i Chciwiec – najprawdziwsze na świecie. A my najprawdziwsze diabły.

– I apetyt też na pewno macie jak wszyscy diabli. Jedzcie, częstujcie się i nie żałujcie sobie – zachęcał Marcin, podsuwając diabłom półmiski. A do każdej potrawy dosypywał garściami sól i pieprz, i nie żałował octu, chrzanu, papryki i musztardy.

– Ale ostre, co?

– Diabelnie!

– Piekielnie!

– Piekielnie!

– Diabelnie!

– Ogień w gębie i w przełyku! – cieszyły się diabły.

– Może wina parę łyków? – zaproponował Marcin.

Raz-dwa się upiły. Były tak pijane, że ledwie trzymały się na nogach, a po tych wszystkich słonych i pieprznych, piekielnie ostrych potrawach tak je paliło w żołądkach i takie miały pragnienie, że dyszały ogniem i siarką. Ale wino nie ugasiło pragnienia.

– Może wody? – zaproponował Marcin.

– Oj, tak, tak!

– Najlepiej prosto z jeziora…

Półprzytomne ruszyły na brzeg, zanurzyły łby w jeziorze, nie czując, że jest słona, zapominając, że nie ma w nim słodkiej wody, tylko łzy, które same wlały, i piły, piły.

A Marcin, stojąc nad nimi, przynaglał:

– Więcej, więcej! Kropelkę, butelkę, flaszeczkę, beczkę, dwie beczki, trzy beczki i jeszcze troszeczkę!

– Całe jezioro wypiją! – przestraszyła się Złota Kaczka.

– Nie martw się – pocieszył ją Marcin, wskazując stojącą na brzegu beczkę – w beczce jest tyle łez, że jezioro zaraz się znowu zapełni.

Podpłynęła Kaczka do brzegu, wyciągnęła szyję, żeby zajrzeć. Nie wiedziała, że beczka jest pusta…

Marcin tylko na to czekał. Raz-dwa przewrócił beczkę do góry dnem, dno przycisnął kamieniem.

– Hurra! Udało się! Beczka przewrócona, Kaczka uwięziona!

W żaden sposób nie mogła spod beczki wyjść. Szamotała się, szarpała, kwakała. Tak długo się szamotała, aż zleciała jej z głowy złota korona. A gdy zgubiła koronę, straciła czarodziejską moc. Nie wiadomo, co się z nią potem stało. Może siedzi pod tą beczką do dziś? Może w zwyczajną kaczkę zamieniona, uciekła podziemnym korytarzem daleko, daleko – tam, gdzie diabeł mówi dobranoc?

Ale chyba jednak uciekła, bo niektórzy widzieli pod skarpą wiślaną chłopaka z fujarką goniącego kaczkę.

– A sio! – wołał. – Już ja cię stąd moją fujarką wykurzę za góry, za lasy, za siódme podwórze!

Diabły też uciekły. Wypiły całe jezioro, wysuszyły je do samego dna i zniknęły, jakby ich nigdy nie było.

A co się stało z Marcinem? Ze skarbca, który został na dnie jeziora, wziął parę dukatów na jedzenie i lekarstwa dla matki, a resztę zostawił dla innych. Zaraz to ogłosił. Ledwie tylko odzyskał fujarkę, podniósł ją z dna jeziora, przyłożył do ust i zagrał najpiękniej, jak umiał. Ludziom na radość.

– Zaśpiewaj, fujarko wierzbowa,
zaśpiewaj o słońcu nad Wisłą

i ludzi tu do mnie przyprowadź,
bo do nich należy to wszystko.

Zaśpiewaj najpiękniej, najgłośniej
i powiedz w tej swojej piosence,
że serce jest skarbem najdroższym,
że trzeba je cenić najwięcej.

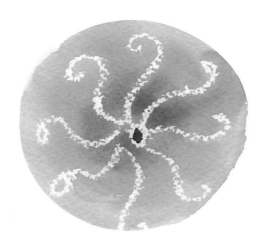

Legenda
o Sielawowym Królu

Mikołajki leżą na Mazurach, w Krainie Wielkich Jezior, tam, gdzie dwa spośród nich – od północy jezioro Tałty, a od południa Mikołajskie – łączą się ze sobą. A w Mikołajkach – leży ryba w koronie. Sielawa. Sielawowy Król, grubym łańcuchem do brzegu uwiązany, wielki i nieruchomy jak kłoda.

Mało kto umie powiedzieć – skąd się tu wziął. Bo nie wszyscy wiedzą, że to, co na wodzie dawno, dawno temu pisane – w głębinach jej pamięci zostaje na zawsze. Bo nie każdy potrafi wsłuchać się w śpiew wiatru kołyszącego fale jeziora i odnaleźć w nim słowa – na wiatr przed laty rzucone i latami przemienione w legendę. W opowieści o Wielkiej Rybie i chłopcu, od którego Mikołajki wzięły swe imię.

Tu właśnie żył. W tych stronach. Kiedy? Nieważne. Dokładnej daty nawet wiatr i woda nie pamiętają. Ważne, że miał na imię Mikołajek, był wnukiem i synem rybaka i mieszkał w rybackiej chacie nad brzegiem jeziora. I jeszcze ważne jest to, że miał siostrę i że była to najładniejsza dziewczyna z całej wsi. Złotka. Tak ją właśnie rodzice nazywali, bo włosy miała jak promienie słońca i oczy bursztynowo-miodowe.

Obydwoje pomagali ojcu wiązać sieci, ale na połowy wyruszał z ojcem tylko Mikołajek. Rybacką łodzią płynęli na środek jeziora, zarzucali sieć, a potem ciągnęli ją z wody ciężką od rozmaitych ryb.

Dobre to były lata i dobre połowy. Cieszyli się rybacy, z łodziami pełnymi ryb wracali do wioski, a dziewczyny witały ich z brzegu piosenką. I oczywiście najładniej ze wszystkich śpiewała siostra Mikołajka.

> — *Wskoczył kaczor w wodę,*
> *kaczka za nim brodzi,*
> *zamoczyły pióra,*
> *bo nie mają łodzi.*

Kaczor płynie prosto,
a kaczka ukosem,
wiosłują nogami,
bo nie mają wioseł.

Wyszedł kaczor z wody,
kaczka za nim leci,
nie złowiły ryby,
bo nie miały sieci.

A nasi rybacy
są mądrzejsi od nich –
tyle ryb złowili,
że nie będzie głodnych!

Przez wiele lat udawały się rybakom połowy, a potem nagle coś się zaczęło psuć. Kiedy wypływali na głębinę – woda burzyła się i mąciła, niewidzialna siła darła sieci na strzępy, niewidzialna moc łamała wiosła, wywracała łodzie. Z pustymi rękami wracali mężczyźni do domów. Bieda zajrzała ludziom w oczy.

– Znowu ani jednej ryby! – rozpaczały kobiety. – I co my będziemy jedli? Za co kupimy to, co potrzebne w domu? Dzieci płaczą, wszystko, co było do sprzedania, dawno sprzedane…

– Jezioro dla nas niełaskawe. Gniewa się. Ryb nie chce dawać – tłumaczyli mężowie, ojcowie i synowie.

– Ale dlaczego się gniewa? Przecież myśmy nic złego nie zrobili. Więc za co? – pytały matki, żony i siostry. Złotka też o to zapytała.

Mężczyźni milczeli. Stali bez ruchu, patrząc na zniszczony dobytek – wyciągnięte z wody kłębowiska poszarpanych sieci, połamane kawałki wioseł, łodzie z potrzaskanymi burtami. Ręce opuścili bezradnie, głowy mieli zwieszone...

Podnieśli je dopiero na dźwięk głosu Złotki. I spojrzeli na nią tak, wszyscy, ilu ich było – tak popatrzyli, że Mikołajek przestraszył się. Dreszcz przeleciał mu po plecach, złapał siostrę za rękę.

– Uciekaj! – krzyknął, choć nigdy na nią nie krzyczał. – Już cię tu nie ma!

I pchnął ją w stronę domu. A sam pobiegł za nią. Do dziadka. Z tym samym pytaniem, które kobiety zadawały mężczyznom. Z tym, które i Złotka zadała:

– Dlaczego jezioro się gniewa?

I wtedy właśnie po raz pierwszy usłyszała o Rybim Królu.

– Widać Król się obudził... – odpowiedział dziadek.

– Jaki Król?

– Rybi. Sielawowy. Jest władcą wszystkich ryb, śpi na dnie jeziora, panny piękne w wodnice przez niego przemienione tańczą dokoła, trzciną-rokiciną go wachlują, pieśni grają, śpiewają, a on – budzi się raz na sto lat i tak długo nie pozwala rybakom łowić ryb, aż dadzą mu do podwodnego królestwa najpiękniejszą dziewczynę z całej wsi. Czeka, aż najpiękniejsza wypłynie w nocy na środek jeziora, wywraca łódź, wciąga dziewczynę w topiel, a potem zamienia ją w wodnicę.

– Dziadku! – przeraził się Mikołajek. – Przecież najładniejsza ze wszystkich jest moja siostra! To dlatego rybacy tak na nią patrzyli! Chcą ją dać Rybiemu Królowi!

– Muszą – westchnął dziadek. – Jeśli Wielka Ryba nie dostanie naszej Złotki, nikomu nie pozwoli łowić ryb i wszyscy zginiemy z głodu.

– Nie oddam jej! – krzyknął Mikołajek. – Nie pozwolę, żeby oddali Złotkę Rybiemu Królowi! Do walki z nim stanę!

– Nie dasz rady. Chcesz, żebyśmy wszyscy zginęli? Człowiek do walki z Rybim Królem za słaby. W żadną sieć go nie złowisz.

– Przecież musi być jakiś sposób! Musi! – gorączkował się Mikołajek. – Trzeba go przebłagać! Trzeba mu coś innego dać! A czy… – zastanowił się nagle – czy ten Król ma koronę?

– Chyba tylko z wodorostów – odpowiedział dziadek. – Innej nie ma, bo skąd by wziął.

I przygarnąwszy Złotkę, co skulona ze strachu całej rozmowy w milczeniu słuchała, zaczął szeptać stare zaklęcia zasłyszane przed laty od swego ojca czy dziada. Prośbę do Rybiego Króla, której nikt prócz niego już nie znał:

– W nocy, o północy, włosy jej rozplotą,
posłuchaj, Wielka Rybo –
wianek z kwiatów włożą na jej główkę złotą,
zawsze tak było.
W białą suknię piękną pannę ubiorą,
pójdzie w bielutkiej.
Odprowadzą pannę w czarne jezioro,
odepchną łódkę.
I wodnicą panna zostanie
po wieków wiek,
a ty sieci nasze napełnisz
rybą po brzeg.

– I to… i to wszystko będzie już dziś? – rozpłakała się Złotka.

– Nie – odpowiedział dziadek. – Najpierw trzeba cię do ślubu z Wielką Rybą przygotować.

O nic więcej nie pytał Mikołajek. Na parę dni zamknął się w komórce, coś tam robił z blachy, z żelaza, z żelaznych obręczy majstrował i bursztynami, które znalazł kiedyś nad jeziorem, ozdabiał. I którejś nocy – kiedy wszyscy zasnęli, przebrał się cichaczem w suknię siostry, włożył na głowę jej wianek i ciężką łodzią, jedną z nielicznych, które rybakom jeszcze zostały, wypłynął na jezioro.

Noc była jasna, srebrzysta od księżyca, jezioro gładkie jak lustro. I nagle usłyszał dziewczęce głosy.

– Wodnice! – domyślił się Mikołajek.

A one wypłynęły ze środka wody, białym orszakiem otoczyły łódź i zaśpiewały:

– Dziewczyna, dziewczyna płynie z daleka,
szeroka, szeroka na wodzie łódź,
witamy, witamy, bo Król już czeka,
swój wianek, dziewczyno, do wody rzuć.

– Nie poznały mnie… Myślą, że jestem dziewczyną – ucieszył się Mikołajek. I zaraz dziewczyńskim głosem, najcieniej, jak tylko umiał, zawołał: – Hej! Hej! Pokaż się, Rybi Królu. Chcę zobaczyć, jak wyglądasz. Ludzie mówią, że jesteś wielki. Ludzie mówią, że jesteś groźny i piękny. Czy jesteś tak groźny, jak mówią?

Czy jesteś aż tak wielki i piękny? Pokaż się, mam dla ciebie podarek.

Zakotłowało się jezioro. Z wody wynurzył się łeb wielkiej, srebrnej sielawy. Czerwone oczy spojrzały na Mikołajka. Oślepiły go czerwonym blaskiem. Nie oderwał wzroku od Wielkiej Ryby, nie przestraszył się, nie przestał mówić.

– Widzę cię. Jesteś o wiele piękniejszy, niż myślałam. Masz pancerz ze srebrnej łuski, masz wielką, srebrną głowę. Ludzie mówią, że masz koronę z wodorostów. Ja przyniosłam ci inną. Zanim wejdę z tobą do podwodnego królestwa, chcę ci dać koronę w podarku. Zbliż się, Wielki Królu, podpłyń bliżej. Do samej burty. Własnymi rękami chcę ci włożyć koronę.

A kiedy Ryba podpłynęła do burty – Mikołajek raz-dwa sięgnął na dno łodzi. Zadzwoniły ciężkie łańcuchy, zalśniły bursztynami żelazne obręcze w kształt korony złożone. I zanim Rybi Król się spostrzegł, Mikołajek włożył mu tę koronę na głowę.

Obręcze były ciasne, łańcuchy mocne. Rybi Król nie mógł się wyślizgnąć. Przez całą noc walczył z nim Mikołajek. Ryba szarpała się na łańcuchach, młóciła ogonem wodę, łbem w koronie waliła o burtę, próbowała zatopić łódź. Na próżno.

A nad ranem przypłynęli inni rybacy i wspólnymi siłami przyciągnęli Sielawego Króla do brzegu. Na łańcuchu go tam uwiązali. Żeby nie przeszkadzał rybakom w połowach i żeby już nigdy więcej nie zamienił żadnej dziewczyny w wodnicę.

A niektórzy mówią jeszcze, że w chwili, kiedy Rybiego Króla mocowano łańcuchem do brzegu, wszystkie wodnice wypłynęły z jeziora i zamieniły się w białe łabędzie.

Legenda o pięknej pasterce i księciu z Raciborza

Dawno, dawno temu, tak dawno, że nawet najstarsi ludzie znają te czasy tylko z opowieści – w Raciborzu, słowiańskim grodzie nad Odrą, żył książę Racibor. Nad samą rzeką stał zamek księcia, z zamkowych okien widać było niebieską wodę i zielone łąki otoczone pierścieniem lasów. Łąki pełne soczystej trawy, na której pasły się konie książęcej drużyny. I właśnie któregoś dnia, kiedy książę przyglądał się koniom, na łące pojawiła się pasterka prowadząca stadko owiec.

— Idą owce, idą, biegną rosą srebrną,
srebrne głosy dzwonków razem z nimi biegną.

Siedem owieczek, siedem owieczek,
każda dzwoneczek ma,
biegną owieczki, dzwonią dzwoneczki
dygi-dą, dygi-dą, dygi-da – śpiewała pasterka.

– Jaki piękny głos! – zawołał książę. – Czy to skowronek obłoki po niebie goni i tak sobie wyśpiewuje?

– To ja śpiewam – uśmiechnęła się pasterka do księcia.

– Widzę, że tu się jakieś czarodziejstwa dzieją. Obłoki zamieniły się w owce, skowronek w dziewczynę…

– Ja też, kiedy na owieczki patrzę, myślę sobie, że obłoki na niebie całkiem do nich podobne. Ale ja do skowronka ani trochę. On naprawdę ładniej ode mnie śpiewa o naszej ziemi, o tym, jak u nas pięknie – powiedziała pasterka i zaśpiewała na cały głos:

– Srebrnym głosem dzwoni srebrna woda z rzeczki,
piją owce wodę, cieszą się dzwoneczki.
Siedem dzwoneczków, siedem dzwoneczków,
każdy dzwoneczek gra,
idą owieczki, dzwonią dzwoneczki
dygi-dą, dygi-dą, dygi-da.

Takie było poznanie księcia z Ofką. Bo pasterka miała na imię Ofka. I odtąd nie było dnia, żeby ksią-

że o niej nie myślał. Każdego ranka budziło go dzwonienie dzwonków dobiegające z łąki, w każde południe spieszył się, żeby choć przez chwilę z Ofką porozmawiać. Zakochał się książę w Ofce i postanowił się z nią ożenić.

Ale na granicy książęcych posiadłości grasował zły duch. Liczyrzepa. Wszyscy go się bali. Nawet rycerze księcia mówili o nim z lękiem, niegłośno, żeby złego nie przywołać.

— W dzień ten Liczyrzepa zwyczajnie wygląda. Przejdzie koło człowieka, nawet uwagi nie zwrócisz, ale za to w nocy…

— W wilkołaka o północy się zmienia, ogniem z pyska zionie, na ludzi napada, zgliszcza, popioły po sobie zostawia.

— Niejeden dom już spalił, niejednego wolnego w niewolnika zamienił. Ludzi porywa, pod ziemią ich więzi, w górach wielkich, o chłodzie i głodzie pracują, twardą skałę drążą.

— Komnaty dla Liczyrzepy robią. A on w tych komnatach skarby, złoto, drogie kamienie, wszystkie dobra ludziom zrabowane, gromadzi.

— I nic, tylko te skarby liczy, liczy, bo Liczyrzepa strasznie na bogactwa chytry.

— Dobrze, że on za lasami, za górami, daleko od nas…

Tak mówili rycerze o Liczyrzepie i nikt nie przypuszczał, że Liczyrzepa z obcej ziemi na ziemię księcia już wkroczył, że za wędrowca przebrany koło zamku się przyczaił i myśli, planuje – jak by się do książęcych skarbów dobrać?

— Mury zamkowe grube. Brama wielka, mocna, tak mocna, że nawet wilkołak zęby na niej połamie. Nie wejdę przez bramę. Ale jakby tak innego sposobu poszukać? Podstępem, zasadzką…

I właśnie wtedy, kiedy Liczyrzepa rozmyślał o książęcych skarbach, z zamku rozległa się chóralna pieśń. Rycerze księcia śpiewali:

— Zagrajcie nam trąbki wesoło,
już rumak zatańczył pod księciem,
niech echo rozpowie wokoło,
że książę chce oddać swój pierścień.

Wesoło się robi na sercu,
że wkrótce wesele tu będzie,
że staną na ślubnym kobiercu
prześliczna pasterka wraz z księciem.

Zagrają im trąbki najpiękniej,
zadźwięczą dzwoneczki i dzwony,

do skarbów zamkowych przybędzie
największa ozdoba korony!

– Największa ozdoba korony? Największy skarb? – roześmiał się w duchu Liczyrzepa. – Już ja im pokrzyżuję te plany! Niech tylko dzień się skończy, niech tylko północ wybije, a wtedy…

Noc nadeszła. Spał książę w swoim zamku, spał cały gród, tylko wartownicy czuwali. Oni pierwsi zobaczyli ogień, pierwsi usłyszeli krzyk Ofki:

– Ratunku! Ratunku! Wilkołak!

– Nieszczęście! Liczyrzepa przemienił się w wilkołaka! Porwał Ofkę! Podpalił las! – krzyczeli ludzie.

Wybiegł książę z komnaty, wskoczył na konia, wyciągnął miecz.

– Za mną, rycerze! Nasze konie są szybsze niż ogień! Nasze miecze nie lękają się Liczyrzepy!

Mieczami przerąbała sobie drużyna księcia drogę przez płonący las. Ale Liczyrzepa był już daleko. Dopadł swojej warowni w górach, Ofkę w najciemniejszej komnacie schował, wielkim głazem wejście do komnaty zastawił. Przyjechał książę na spienionym koniu, stanął u podnóża gór, patrzy, Liczyrzepy nie widać, jakby się pod ziemię zapadł…

I wtedy książę sięgnął do sakwy.

– Patrzcie! – krzyknęli rycerze. – Książę przywiózł dzwoneczki. Te same, które owcom dzwoniły.

– Przywiążemy je koniom – powiedział książę. – Kiedy Liczyrzepa usłyszy dzwonki, pomyśli, że owieczki za Ofką przybiegły. Wyjrzy – zaczniemy uciekać. Nie dojrzy nas, bo noc ciemna, a my odciągniemy go od gór, w bagna, w moczary wpędzimy, żeby już nigdy stamtąd nie wyszedł, a potem uwolnimy Ofkę i tych wszystkich, których Liczyrzepa w niewoli trzyma.

I tak się stało, jak powiedział książę. Liczyrzepa usłyszawszy dzwonki, głaz odwalił, wylazł z podziemnej komnaty, za głosem dzwonków poszedł, bo nie wiedział, że nie na owczych, a na końskich szyjach te dzwonki wiszą. Mieczami go rycerze w bagna wpędzili, utopił się Liczyrzepa w moczarach, jak kamień od razu na samo dno poszedł. A książę uwolnił Ofkę, do Raciborza z nią wrócił i z raciborskiego zamku pobiegła na cały świat radosna, weselna pieśń:

> – Zagrajcie nam trąbki złocone,
> że książę już oddał swe serce,
> a dzisiaj książęcą koronę
> oddaje prześlicznej pasterce.
> Stanęli na ślubnym kobiercu

i trąbki śpiewają na wieży,
i serce już bije przy sercu,
i dzwon im do wtóru uderzył.
Zagrajcie dzwoneczki i dzwony
na nutę wesołą i srebrną,
że siedem bielutkich owieczek
w orszaku weselnym pobiegło.
Że każda tu z kwiatkiem przybiegła,
i Ofka wianuszek ma modry
z tych kwiatków, co rosną nad rzeką,
z tych chabrów błękitnych znad Odry.
I odtąd kto tutaj przybędzie,
w dzwoneczku i w każdej piosence
usłyszy legendę o księciu
i Ofce – prześlicznej pasterce.

Spis treści